CREFYDD A GWYDDOR – MYFYRDODAU

Crefydd a Gwyddor

MYFYRDODAU

gan

DAFYDD WYNN PARRY

ISBN – 1-904845-46-0

Cyhoeddwyd gan Dafydd Wynn Parry
Argraffwyd gan Wasg y Bwthyn, Caernarfon

CYNNWYS

I

GWENNO A MARY
AC I GOFIO AM GYMAINT

RHAGAIR

Fel llawer o'm cyfoeswyr yn y dau a'r tridegau o'r ganrif ddiwethaf, cefais fagwraeth ar aelwyd grefyddol a bywyd i raddau yn troi o amgylch gweithgareddau'r eglwys a'r capel. O edrych yn ôl ar y cyfnod, ac er immi wrando'n aml ar drafodaethau brwd yn codi oddiar bregethau'r Sul, testunau'r seiat a gwersi'r Ysgol Sul, ni chefais unrhyw argraff fod seiliau cred yn gwegian ymysg addolwyr y blynyddoedd hynny.

Wedi gadael cartref a myned i'r Coleg ym Mangor i astudio'r gwyddorau amaethyddol, yr oedd gorwelion yn ymestyn, a chefais fy nhrwytho mewn gwyddor a damcaniaethau ar fywyd yn ei gyfanwaith. Am resymau na lwyddais erioed i'w hesbonio'n llawn, bu'r gwersi a gefais ar fywydeg ac esblygiad gan arbenigwyr yn y meysydd hyn yn ddylanwadol iawn yn fy natblygiad crefyddol. O edrych yn ôl ar y cyfnod, ni allaf eto egluro paham y bu i astudiaethau o'r fath bwyso mor drwm arnaf.

Yn y pedwar a'r pumdegau, cefais y fraint o fod ymysg cryn bymtheg a mwy o efrydwyr mewn dosbarth Ysgol Sul yn Y Twrgwyn, Bangor, – llawer ohonynt wedi dychwelyd o'r lluoedd arfog. Y mae gennyf gôf byw iawn o'r trafodaethau a phawb ohonom yn ysu am atebion wrth ymchwilio i rai o egwyddorion mwyaf dyrys ynglŷn â ffydd a chrêd.

Daeth tro ar fyd. Yn y chwech a'r saithdegau ciliodd y rhan fwyaf o efrydwyr y Colegau ym Mangor oddi wrth eglwys a chapel. Diflanodd dosbarth yr efrydwyr. Serch hynny bûm yn ffodus o fod mewn dosbarth o oedolion sy'n para hyd at heddiw. Nid oes amheuaeth i'r blynyddoedd hyn esgor ar ymchwiliadau yn fy meddwl ym myd crefydd, gwyddor a chrêd.

Bellach rhaid cydnabod fod llawer o'r daliadau traddodiadol y cefais fy nhrwytho ynddynt am flynyddoedd wedi cael eu hysigo os nad eu darnio'n llwyr. Yn fy marn i, nid oes amheuaeth o gwbl fod y datblygiadau gwyddonol biolegol ac esblygiadol y blynyddoedd diwethaf hyn yn gyfrifol i raddau pell. Credaf mai dyma ydyw sialens fawr yr oes sydd ohoni.

Yr ydym bellach yn bodoli mewn cyfnod seciwlar gyda'r pwyslais cynyddol i wella ein stâd materol. Credaf fod yr awydd ynnom i feddiannu fwy a mwy i'w ganfod yn eglur iawn yn ein cymdeithas, gyda'r canlyniad i nihiliaeth gynyddu yn ein plith.

O sylweddoli hyn oll, esgorwyd ynnof awyddfryd i ddod i'r afael. Ceisiais fynegi fy nheimladau mewn sawl ysgrif dros y blynyddoedd. Detholiad o'r ysgrifau hyn a geir yn y gyfrol hon. Yn anorfod mewn casgliad o'r fath, ail adroddir rhai damcaniaethau sy'n cadarnhau teithi meddwl yr ysgrifau. Diolchaf i olygyddion *Y Traethodydd, Cristion, Y Goleuad* a'r *Gwyddonydd* ac i swyddogion Undeb Athrofa'r Bala am eu caniatâd parod i'w cyhoeddi. Y mae fy nyled yn fawr i Olygydd Gwasg y Bwthyn, Mr. Maldwyn Thomas a Mrs. June Jones, Rheolwraig y Wasg am eu hawgrymiadau gwerthfawr a'r gofal diwyro wrth lunio'r gyfrol i olau dydd. Bûm yn ffodus iawn hefyd o gael Miss Menai Williams i ddarllen y proflenni ac awgrymu llawer iawn o welliannau. Yr wyf yn ddyledus iawn iddi am fanyldeb ei gwaith. Gwerthfawrogaf eu cymorth a'u hamynedd yn fawr iawn.

Bellach, ac wedi hir fyfyrio, yr unig wirionedd sy'n fy modloni a'm argyhoeddi'n llwyr ydyw'r weledigaeth a ddaeth i'r byd drwy'r Iesu. Y mae'r portread o Dduw fel Tad yn yr Efengyl yn aros, a'r sialens fawr ydyw ymateb ac aeddfedu i ymgyrraedd i fod yn wir blant i'n Tad ac yn frodyr i'n gilydd. Yn yr eithaf ni chredaf y gall unrhyw ddamcaniaeth wyddonol esblygiadol amharu dim ar y weledigaeth hon a ddaeth i'r ddynoliaeth drwy Grist.

RHAI O FEDDYLIAU J. MIDDLETON MURRY

Cyfrifir John Middleton Murry yn un o feirniaid llenyddol disgleiriaf yr oes. Y mae ganddo feddwl craff ac annibynnol, ac y mae ei ymchwiliadau i gefndir hanes a datblygiad beirdd fel Shakespeare, Blake a Keats yn brawf diymwad o'i allu. Dehonglodd weithiau'r rhain yn fyw a threiddgar; yn wir ychydig o feirniaid cyfoes a lwyddodd i ddyfod i adnabyddiaeth lwyrach o'r testun. Gwnaeth gyfraniadau syfrdanol ac eithriadol o werthfawr i astudiaethau ym myd crefydd a chymdeithas. Nid oes angen ond dwyn i gof lyfrau fel *The Life of Jesus* (1934), *The Betrayal of Christ by the Churches* (1940), a *The Free Society* (1948), heb enwi'r un arall, i brofi ei ddawn a'i allu digymar yn y meysydd hyn. Ni all neb a glywodd ei sgyrsiau ar y radio yn ystod blynyddoedd cynnar y rhyfel diwethaf – cyhoeddwyd hwynt yn llyfryn bychan yn dwyn y teitl *Europe in Travail* (1940) rai misoedd wedyn, – wadu ei ymgysegriad diffuant i ymchwilio i'r hyn sydd wirionedd yn wir.

Ond nid o safbwynt y cyfraniadau hyn y carwn gyfeirio at Middleton Murry yn yr erthygl hon, ond yn hytrach o safbwynt ei gymeriad fel gwladwr sydd yn caru'r bywyd gwledig gyda'i fendithion a'i dawelwch, ac, ar yr un pryd, yn wynebu problemau crefyddol a chymdeithasol ei ddydd. Go brin efallai ei bod yn wybyddus i lawer a glywodd amdano ac a ddarllenodd ambell lyfr o'i eiddo, mai bywyd yn ymwneud â'r tir sy'n apelio ato bellach. Stori bwysig a rhyfedd yn natblygiad Murry ydyw honno am ei droedigaeth megis o fywyd y ddinas i heddwch a thawelwch y wlad. I'w ddeall, ac i werthfawrogi ffrwyth ei brofiad a'i feddyliau, rhaid dilyn troeon dieithr ei yrfa. Rhydd ei gefndir allwedd i ogwydd ei fywyd tuag at y tir. Croniclwyd y manylion hyn yn ei hunangofiant *Between Two Worlds* (1935), a cheir braslun aeddfetach mewn llyfr diweddarach o'i eiddo yn dwyn y teitl *Adam and Eve* (1940).

Ganwyd ef yn 1889 i deulu tlawd yng nghanol Llundain. Yr oedd ei daid a'i gyndaid yn seiri coed medrus yn y gwaith o adeiladu llongau yn Sheerness. Pan ddaeth cyfnod y llongau coed i ben ac y datblygodd y llong haearn, diflannodd crefft y taid a chollodd ei waith. Oni bai am hynny buasai ei blant wedi ei ddilyn yn y grefft, ond pan gollodd ef ei waith, torrwyd ar y traddodiad a bu rhaid i'w blant chwilio am rywbeth arall. Penderfynodd tad Murry dorri llwybr newydd. Gwnaeth hynny drwy fanteisio ar yr addysg a gyfrennid yn y 'National School' am dâl o ychydig geiniogau. Wedi'r ddisgyblaeth hon, penodwyd ef yn glerc, ond prin oedd ei enillion, a phan briododd gorfu iddo chwilio am waith ychwanegol fin nos i gadw'r cartref. Penderfynodd nad oedd ei fab hynaf, Middleton, i ddilyn ei lwybrau ef. Drwy ryw wyrth, fel y dywed ef ei hun, fe enillodd Middleton Murry ysgoloriaeth o'r 'Board School' i ysgol Christ's Hospital. Manteisiodd ar y cyfle, a phan oedd yn un ar ddeg oed, dechreuodd ar ei addysg yno.

Bu'n ddisgybl yn Christ's Hospital am wyth mlynedd. Yno codwyd ef o'i ddosbarth cymdeithasol ef ei hun i ddosbarth uwch gydag awyrgylch hollol newydd, a chafodd gipolwg ar safonau gwahanol i rai ei deulu. Dywed iddo yn raddol ddechrau magu rhyw gymaint o gywilydd hyd yn oed o'i gartref a'i rieni ei hun, ond, ar yr un pryd methodd gyfeillachu'n llawn â'i gyd ddisgyblion yn yr ysgol, – yr oeddynt hwy a'i rhieni yn perthyn i fyd arall. A phan oedd gartref ar wyliau, ni allai ychwaith wneud ffrindiau â phlant y gymdogaeth – yr oeddynt hwythau bellach mewn dosbarth gwahanol iddo ef. 'Part snob, part coward, part sentimentalist' yw'r disgrifiad a rydd ohono ef ei hun yn y cyfnod hwn.

O Christ's Hospital, symudodd yn 1909 i Rydychen fel efrydydd yn y Celfyddydau. Yn ystod ei yrfa yno daeth dylanwadau cryf i aflonyddu arno a chyfnewidiadau mawr i'w fywyd. O ddarllen rhannau o'i Hunangofiant yn y cyfnod hwn yn ei hanes, daw cwpled yr Athro T. H. Parry-Williams i'm cof:

> 'Fel adyn ar gyfeiliorn, neu fel gŵr
> Ar ddyfroedd hunlle'n methu cyrraedd glan.'

Fe'i disgrifiwyd unwaith gan Katherine Mansfield – ei briod a fu farw yn 1923 – fel mynach heb fod ganddo fynachdy. Y mae'r portread hwn yn help i ni ei weled fel creadur yn chwilio, efallai yn anewyllysgar, am adnabyddiaeth lwyrach ohono'i hun. Ac nid ydyw'n annheg dywedyd bod ei fywyd cynnar o'i blentyndod hyd ddyddiau coleg yn un ymchwil fawr am ryw fath o ffydd grefyddol i lynu wrtho, a ffordd o fyw yn cynganeddu â'r ffydd honno. Ni chyfeiriaf yma ond at ddau ymysg llawer o'r profiadau a ddaeth i'w ran yn ystod ei yrfa fel efrydydd. Ar ddiwedd ei flwyddyn gyntaf yn Rhydychen gwahoddwyd ef gan ei athro i dreulio y rhan olaf o'i wyliau haf mewn pentref bychan yn Suffolk. Am y tro cyntaf yn ei fywyd, profodd ryw gymaint o hapusrwydd y bywyd gwledig. Ychydig yn ddiweddarach, arhosodd am gyfnod ar fferm yn y Cotswolds, a daeth i gyffyrddiad ag amaethwr yng ngwir ystyr y gair. Apeliodd y bywyd ato, a phan raddiodd yn Rhydychen a dechrau ar ei yrfa fel beirniad llenyddol yn 1912, a sylweddoli fod dyfodol iddo yn hyn o beth, penderfynodd y byddai'n achub y cyfle cyntaf i adael y dref am byth a chartrefu yn y wlad.

Fe ddaeth cyfle ar ôl blynyddoedd y Rhyfel Mawr Cyntaf – cyfnod a dreuliodd yn y Swyddfa Ryfel. Ond er bod y wlad wedi bod yn lloches iddo o fywyd y ddinas, ni sylweddolodd ar unwaith fod ei phatrwm arbennig o fyw yn galw am ei deyrngarwch a'i ufudd-dod. Cyfeddyf iddo gymryd cryn amser i wir gartrefu yn y bywyd newydd. Teimlai nad oedd yn rhan hanfodol o'r wlad, er ei fod yn byw bellach ynddi, ac na wyddai fawr ddim am batrwm a rhamant ei bywyd. Yng nghyfnod dirwasgiad 1931, daeth yn berchennog ar naw erw o dir yn Norfolk, a byth er hynny, yn araf ond yn sicr, dechreuodd werthfawrogi cyfrinach y bywyd gwledig. Profodd ei dawelwch a'i symlrwydd, cafodd lonyddwch ysbrydol, amynedd a goddefgarwch, ac yn fwy na dim, efallai, daeth i adnabyddiaeth lwyrach ohono'i hun nag erioed o'r blaen. Credaf i'r cyfan fod yn un o'r dylanwadau mwyaf ar ei fywyd, ac yn gymorth iddo yn ei waith fel awdur a beirniad llenyddol.

Yn gysylltiedig â hyn oll, ac yn wyneb gwallgofrwydd y blynyddoedd hynny pan oedd Ewrob yn dechrau ymgynddeiriogi eilwaith, a sŵn rhyfeloedd yn y gwynt, teimlodd awydd cryf, ac yntau bellach yn heddychwr, i adeiladu rhywbeth safadwy yn nannedd y ddrycin. Daeth yn rhyw fath o sosialydd gan gredu bod oes cyfalafiaeth yn dirwyn i ben, ond nid oedd yn glir o gwbl yn ei feddwl pa beth oedd i gymryd ei lle mewn gwir ddemocratiaeth. I Murry, credaf fod democratiaeth yn bwysicach o lawer na sosialaeth, ac iddo ef nid hawdd eu cyfuno. Y cam cyntaf at wneuthur hynny yw 'cenedlaetholi', ond i sicrhau bod diwydiant o'i genedlaetholi yn effeithiolach ac yn fwy cynhyrchiol na chynt, cred Murry fod gofyn argyhoeddi'r gweithwyr a'u deffro i gyfrifoldeb a chydwybod newydd yn eu perthynas â'r gymdeithas yn gyffredinol. Y mae'r syniad fod safle a chyfrifoldeb y gweithwyr wedi newid oherwydd 'cenedlaetholi' yn rhy bell o'u hymwybyddiaeth a'u profiad i fod yn gymhelliad byw iddynt. Rhaid i'r gweithwyr fod yn bartneriaid mewn ymdrech y gallant ei hamgyffred yn llawn, ymdrech y gallant gymryd diddordeb deallus ynddi a chael eu hysbrydoli ganddi. Oni ddigwydd hyn, y mae Murry yn barnu y bydd 'cenedlaetholi' a thyfiant y 'Wladwriaeth Les' yn dueddol i leihau'r ymdeimlad o wir gyfrifoldeb yn y gweithwyr.

Yr oedd Murry yn awyddus i geisio rhoddi ei feddyliau ar waith a hynny o fewn terfynau'r tir gan ei fod yn credu'n llwyr fod gwareiddiad yn y pen draw yn dibynnu i raddau helaeth iawn ar gynnyrch y tir. Felly yn 1942 pan ddaeth cyfle, mentrodd ei holl eiddo yn yr antur a phrynodd fferm o dros ddau can erw yn Suffolk. Yr oedd yn bwriadu nid yn unig ei hamaethu yn y ffordd draddodiadol, eithr hefyd ceisio meithrin cydweithrediad pendant a chlir rhwng yr holl aelodau a ffurfiwyd yn gymdeithas i'w thrin. Roedd y syniad hwn – y 'producer co-operative' fel y gelwir ef ganddo, – yn ei feddwl am flynyddoedd; daeth cyfle yn awr i'w sylweddoli. Adroddir y stori ganddo mewn llyfr yn dwyn y teitl *Community Farm* (1952).

Ni fwriadaf fanylu yma ar ddatblygiad y fferm, na thrafod rhagoriaethau neu ffaeleddau cynllun o'r fath, nac ychwaith feirniadu Murry, fel y gwnaeth ambell un, am esgeuluso ei dalentau llenyddol. Yn hytrach, hoffwn grynhoi ymhellach rai o'r syniadau hynny a'i denodd at fywyd y tir ac a ddatblygwyd ymhellach ganddo. Credaf fod ganddo wirioneddau i'w dweud y gall pawb, ac yn neilltuol felly y sawl a garo'r tir a'r bywyd gwledig, gnoi cil arnynt a'u trysori mewn cyfnod pan beryglir yr hen safonau er cymaint o sôn sydd am ddiogelu y gwerthoedd uchaf a berthyn i'n cenedl a'n gwlad. Y mae'n wir imi beidio â chyffwrdd â'i holl ddadleuon, ac na wnaf, efallai, gyfiawnder llawn â'r gweddill y soniaf amdanynt. Ond er gwaethaf hyn oll, mynnaf ddod i'r afael â hwynt a'u mynegi orau y gallaf, a hynny am eu bod wedi creu argraff ddofn arnaf fel Cymro a fagwyd ar y tir ond a droes ei gefn arno i raddau, bellach. I mi y maent i gyd yn her ac o'r pwys mwyaf yn y byd sydd ohoni y dyddiau hyn.

Soniais yn barod am bererindod Murry tuag at ryw fath o ffydd grefyddol i lynu wrthi. O dro i dro bu'r Eglwys yn atyniad cryf iddo, ond ar yr unfed awr ar ddeg, tynnu'n ôl a wnaeth bob gafael. Yn wir, meddyliodd unwaith y buasai'n hoffi bugeilio eglwys fechan yng nghanol y wlad ond dywed ei fod yn falch bellach na wnaeth hynny. Cred fod ffyrdd eraill, a ffyrdd effeithiolach efallai, i fynegi'r gwirioneddau y ceisir eu trosglwyddo gan yr Eglwys. Y mae'n barnu bod llawer o'i hathrawiaethau erbyn hyn wedi peidio â bod yn ganllawiau'r gwirioneddau sylfaenol i fwyafrif y boblogaeth. Efallai mai canlyniad diffyg ystyriaethau dyfnion ar ran y boblogaeth a gyfrif am hyn. Boed hynny fel y bo, un peth sy'n sicr, – ni all yr Eglwys, fel y mae, ei fodloni yn y byd sydd ohoni. Y mae hynny'n eglur ddigon o ddarllen un o'i lyfrau mwyaf syfrdanol – *The Betrayal of Christ by the Churches* (1940). Y mae darllen y llyfr hwn bron yn ddychryn i'r neb a fagwyd yn yr Eglwys ac a fyfyria o ddifrif ar ei phroblemau a'i dyfodol. Barna Murry fod yr Eglwys wedi bradychu'r ddynoliaeth am iddi yn y lle cyntaf fradychu ei Duw, a daw i'r casgliad fod galw ar Gristnogion yn awr, i symud ymlaen i lefeloedd sy'n nes at yr Efengyl na dim a ddatganwyd gan yr Eglwys hyd yma. I Murry, problem fwyaf Cristnogaeth heddiw ydyw addasu'r Efengyl dragwyddol at ofynion yr oes. Peidied neb â'i gamddeall yn hyn o beth: y mae'n credu bod yr Efengyl yn aros yr un yn ei hanfod o oes i oes; y broblem ydyw ei chyfaddasu i oes a gollodd i raddau helaeth iawn ei dulliau naturiol o fyw.

Ganwyd Cristnogaeth mewn cymdeithas fugeiliol seml pan oedd dyn yn ddibynnol bron yn gyfangwbl ar y tir o'i amgylch. Y pryd hynny ac am ganrifoedd wedyn hyd at y ddeunawfed, credid bod Duw yn bresennol yng ngorchwylion beunyddiol y dyn cyffredin. O ganlyniad, yr oedd addoliad a chrefydd yn hollol naturiol i ddyn ac i'r gymdeithas yr oedd yn rhan ohoni. Yr oedd yn weddol eglur beth oedd y Duwdod yn ei orchymyn. Yr oeddem i 'ddysgu a llafurio yn gywir i geisio ennill fy mywyd ac i wneuthur fy nyletswydd ym mha fuchedd bynnag y rhyngo bodd i Dduw fy ngalw iddi.' Cred Murry fod y geiriau hyn mor arwyddocaol ag erioed, ond erbyn heddiw aeth eu sylwedd hanfodol ohonynt. Gyda dyfodiad oes fecanyddol a gwyddonol, y mae'r hyn a sefydlwyd gan arferiad ac anghenraid wedi ei chwalu. Diflannodd crefydd o ymwybyddiaeth feunyddiol y ddynoliaeth; yn yr un modd collodd Cristnogaeth ei harmoni syml â bywyd dyn. Yn ôl Murry, ni sylweddolodd yr Eglwys pa mor aruthrol y bu effaith y newid hwn ar Gristnogaeth; nid ydyw yn ei farn ef, yn ddim llai na bod Cristnogaeth wedi peidio â bod yn naturiol i ddyn.

Cred fod dwyster ac ehangder y broblem yn gorwedd yn y ffaith fod llawer o'r syniadau gweithredol am Dduw hyd yn ddiweddar yn tarddu o'r ffaith fod llaw Duw i'w gweled yn y gallu anchwiliadwy a mympwyol a briodolwyd i Natur. Oherwydd y gallu hwn, yr oedd rhaid i ddyn ymdrechu yn galed ryfeddol er mwyn ei gynnal ei hun, ac nid oedd newyn byth ymhell o'i fyd. Edrychid ar ei bresenoldeb yn Natur fel rhan o'r Duwdod ei Hun. Yr oedd gallu arall yn y Duwdod yn cynnig iachawdwriaeth a hapusrwydd i'r sawl a gadwai Ei orchmynion. Cododd rhyw barchedig ofn mewn dyn wrth wynebu uniad annirnadwy y galluoedd hyn yn ei feddwl a'i enaid, ac nid hawdd oedd eu hamgyffred gyda'i gilydd. Dyma a roddodd awdurdod i'r grefydd Gristnogol. Y gallu yn y Duwdod a gadwodd y ddynoliaeth mewn ofn oedd gallu Natur; yr oedd dyn yn gwbl anwybodus yn ei gylch ond serch hynny yr oedd yn berffaith argyhoeddedig o'i realiti bob dydd o'i oes. Bellach, nid ydyw Natur a chyfrinach bywyd yn rhan o'r profiad beunyddiol, a main ac eiddil ydyw ei gwead ym mywyd y ddynoliaeth o ddydd i ddydd. O ganlyniad nid oes dim byd gorfodol ac awdurdodol yn aros yng nghrefydd hanesyddol y dyn cyffredin.

Gall y Cristion heddiw dreulio oes bron i geisio darganfod rhyw bwynt safadwy ym myd yr ymarweddiad neu i geisio dyfod o hyd i ryw ddaioni hanfodol y gall gysegru ei hun iddo. Un o'r hanfodion hynny sydd yn ddiamodol dda ym marn Murry ydyw gwasanaeth i'r tir; erys hwn ymysg y pethau hynny sydd o fewn cyrraedd dyn ac y mae gofyn arno eu cyflawni yn y ffordd orau a mwyaf crefyddol. Ni ddywed fod yma ateb llawn i holl broblemau'r oes, yn grefyddol, moesol a chymdeithasol, ond cred y gall ein gosod ar ddechrau'r ffordd faith allan ohonynt. Ei brofiad ei hun a yrrodd Murry i'r casgliad hwn. Pan fentrodd y cwbl a feddai yn yr anturiaeth i achub y fferm a brynodd rhag dadfeilio, bodlonwyd ei ymwybyddiaeth a digonwyd y pwerau crefyddol a rhesymegol yn ei bersonoliaeth. Teimlai ym mêr ei esgyrn ei fod yn cysegru ei fywyd i waith a gyfrifai'n hanfodol dda. Daeth i adnabod mai dyma, ond odid, y gwasanaeth gorau y gall ef ei gyflawni o safbwynt ei gyd-ddynion, ei wlad a'i thir, a hyd yn oed Duw ei Hun; yn wir nid hawdd ganddo ydyw gwahaniaethu rhwng yr un ohonynt yn y pen draw.

Paham y gosodir yr holl bwyslais ar wasanaeth ynglŷn â'r tir yn y cysylltiadau hyn? Rhydd Murry amryw resymau. O'i ystyried fel diwydiant, nid oes dim tebyg i adeiladwaith y byd amaethyddol. Y fferm yn hanner cant neu yn dri chant o erwau ac yn cyflogi o un i ddwsin o weision ydyw canolfan yr holl gynnyrch. Yn y ganolfan hon, y mae cyfle rhagorol i berthynas bersonol ac agos iawn rhwng y ffermwr a'i weision; y mae'n rhaid wrth y fath berthynas i hyrwyddo llwyddiant y fferm yn y pen draw. Nid oes ychwaith fawr o wahaniaeth i ba raddau y caiff y fferm ei mecaneiddio, y mae gan y gwas amrywiaeth cyson yn ei waith ac y mae angen ei fedr mewn amryfal ffyrdd. Erys y fferm a'i bwysigrwydd yntau ynddi o fewn ei amgyffred a'i ddirnadaeth, ac ni chaiff byth yr ymdeimlad ei fod ar goll mewn rhyw beirianwaith enfawr. Er gwaethaf cefnogwyr y syniad y dylid cyfuno fferm wrth fferm a'u rhedeg a thyrfa o weithwyr arbennig, ychydig a gred o ddifrif y buasai hynny yn cynyddu cynnyrch y tir. Yn hytrach, cred y mwyafrif mai'r ffordd orau i sicrhau'r cynnyrch trymaf o dir ein gwlad ydyw glynu wrth y patrwm presennol o ffermydd cymharol fychan eu maint. Mae'n bosib ond odid, fod cyfundrefn o'r fath yn groes i reol y byd presennol gyda'i duedd at ganoli diwydiant i'r eithaf i sicrhau mwy a gwell cynnyrch. Os ydyw cynyddu cynnyrch y tir o'r pwysigrwydd mwyaf, ac os ydyw adeiladwaith y diwydiant amaethyddol fel y mae, y gorau a'r mwyaf effeithiol at y pwrpas, y mae lle i gredu fod yr hyn a gyfrifir gan rai yn groes i dueddiadau'r oes yn rhywbeth sydd yn angenrheidiol ynddo ei hun, ac efallai ei fod yn dangos y ffordd i well trefn mewn cymdeithas yn y dyfodol. Ni all neb fod yn berffaith hapus wrth feddwl am ehangder diwydiant yn gyffredinol drwy'r wlad gyda'i effaith farwol bron ar gyfrifoldeb ac egwyddor y gweithwyr. Pa un bynnag a ydyw yn ymarferol i ddatganoli diwydiant yn gyffredinol drwy'r wlad ai peidio, y mae'n sicr fod rhyw arwyddocâd yn y ffaith fod amaethyddiaeth yn aros yn esiampl o ddiwydiant sydd heb ei ganoli o gwbl.

Mwy na hynny y mae pawb ohonom, o'i fodd neu o'i anfodd, yn aelodau o'r gyfundiad cenedlaethol, a rhaid penderfynu beth sydd orau i'w wneud er ei mantais. Ddeugain mlynedd yn ôl, ni osodwyd dyletswydd o'r fath ar ddynion; i bob golwg yr oeddynt i ennill eu bywoliaeth drwy gyflawni ryw orchwyl a oedd yn ddiddorol iddynt. Cred Murry fod llwyddiant y dyddiau hynny yn dibynnu i raddau helaeth iawn ar y ffaith fod gofyn mawr ym marchnadoedd y byd am y nwyddau a gynhyrchid, ym Mhrydain, ac a allforid i wledydd tramor yn gyfnewid am fwydydd rhad o'r gwledydd hynny. Talodd y wlad yn ddrud am y bwydydd hyn, y pris oedd ffermydd adfeiliedig, a dynion yn gadael y tir a'i waith. Fel y dywed Gwenallt:

> Ffeiriasom ein gwladwyr, ein ffermydd a'n tyddynnod
> Am y Mamon diwydiannol a'r bara rhad,
> Ac y mae'r peithiau pell yn anghenfil llychlyd
> A'n diwylliant a'n crefydd mewn Sain Ffagan o wlad

At ddiwedd y cyfnod rhwng y ddau ryfel, nid oedd angen dealltwriaeth eithriadol i sylweddoli bod dyddiau y 'bara rhad' yn dirwyn i ben. Os oedd Prydain i lwyddo yn y dyfodol, yr oedd angen meithrin rhyw fath o ymdeimlad newydd o ddyletswydd yn y ddynoliaeth. Yr oedd angen diorseddu yr hen syniad negyddol am ryddid yn caniatáu i ddyn wneud fel y mynno, a rhoddi yn ei le syniad mwy pendant yn cynnwys y dewis i geisio gwneud o'r pethau hynny sydd o fewn gafael dyn, yr hyn sydd orau i gymdeithas yn gyffredinol. Yr oedd Murry yn hollol sicr mai arloesi darn o dir ei wlad a'i wneud yn fwy cynhyrchiol a olygai hyn iddo ef. Profodd ymrwymiad uniongyrchol tuag at y gwaith, a hynny am y rheswm mai'r tir a'i gynnyrch ydyw sylfaen pob gwareiddiad a hefyd yn ffynhonnell y bywyd dynol. Gwelir ffaith bwysig yn hyn: oherwydd fod pridd y ddaear, o edrych ar ei ôl, yn ddihysbydd, y mae gwareiddiad sydd heb sylweddoli ei gyfrifoldeb i'w ddiogelu yn gwadu'r hawl a'r unig gyfrwng sydd ganddo yn y pen draw o fodoli o gwbl. Y tir hefyd a ddysgodd i ddyn grefft gyntaf a phwysicaf y ddynolryw, ac yn fwy arwyddocaol fyth, amaethyddiaeth yn y bôn yw'r ffordd sylfaenol o fyw a'r ffordd sydd yn gosod ar ddyn ei rhythm arbennig ei hun. O ganlyniad y mae cyflymdra'r ddinas yn hollol estronol i'w fywyd, ac y mae rhyw dawelwch a dedwyddwch yn hanfodion ohono.

Fe ganodd y bardd lawer gwaith am wynfyd 'y gŵr a arddo'r gweryd a heuo faes.' Credaf fod Murry yn barnu bod y gwynfyd hwn yn codi oddi ar wir ddyletswydd dyn tuag at y tir, ac oddi wrth y ffaith fod gwaith y tir yn angenrheidiol i fywyd i raddau na all unrhyw waith arall fod. Y mae gweithwyr y tir yn fwy ymwybodol na neb o'r gwirionedd sydd yn y dywediad mai 'Duw a fedd, dyn a lefair.' Erys y prawf ohono o flaen eu llygaid yn feunyddiol. Ni allant ddianc rhagddo. Ac er i wyddoniaeth gyfrannu'n helaeth i amaethyddiaeth ein hoes, y mae eto'n aros yn y diwydiant diriogaeth fawr lle mae gwybodaeth fanwl yn amhosibl neu heb ei gyflawni; rhaid i ddyn weithredu yn ôl greddf neu draddodiad wedi ei sylfaenu ar brofiad cenedlaethau lawer. Y mae Murry yn credu bod yn y bywyd gwledig gnewyllyn i'w ddatblygu a phatrwm i gymdeithas yn gyffredinol geisio ei efelychu. Iddo ef ymddengys y cyfrifoldeb o'i ymgeleddu a'i gadw'n fyw yn waith Cristionogol, heblaw bod yn waith o bwysigrwydd cenedlaethol. Dywed nad oes fawr o wahaniaeth, efallai, sut yr edrychir arno, ond ar y llaw arall o edrych arno o'r naill safbwynt neu'r llall, y mae'n arwyddocaol ei fod wedi aros yr un gwaith yn ei hanfod.

Ni fedd Murry y doniau hynny mewn awdur sy'n ei wneud yn boblogaidd. Serch hynny, cyfrifir ef yn un o feddylwyr mawr ein cyfnod, a chredaf fod ei bererindod tuag at sylweddoli gwir hanfodion y berthynas rhwng dyn a'r tir a thrwy hynny rhwng dyn a'i gyd-ddyn, yn rhywbeth y gallwn fyfyrio arno a'i drysori yn y dyddiau hyn. Carwn feddwl y bydd i'w sylwadau ennyn ynom o'r newydd y cyfrifoldeb o gadw'n fyw y traddodiad gwledig a fu mor nodweddiadol ohonom fel cenedl. Y mae gwasanaeth i dir Cymru ymysg y gwerthoedd uchaf a mwyaf crefyddol a berthyn inni fel gwlad, a mentraf gredu y gall Cymru wledig sylweddoli ei chyfrifoldeb yn y gwaith.

Dyfynnwyd yma eisoes o farddoniaeth Gwenallt. Meddyliaf weithiau fod sylwadau Middleton Murry rywle yn yr un byd ac efallai yn agos iawn i ddymuniad y bardd pan ganodd am 'Y Gristionogaeth':

> 'Diwreiddia di dy wareiddiad, a phan fo'r ddaear fel braenar briw
> Down â haul o'r byd anweledig, down â'r gwanwyn o ddwylo
> Duw.'

Y Traethodydd, 1956

CYFEIRIADAU

Murry, John Middleton,
The Life of Jesus (1934). Jonathan Cape, Llundain.
Between Two Worlds (1935). Jonathan Cape, Llundain.
Europe in Travail (1940). Sheldon, Llundain.
The Betrayal of Christ by the Churches (1940). Andrew Dakers.
Adam and Eve (1944). Andrew Dakers, Llundain.
The Free Society (1948). Andrew Dakers, Llundain.
Community Farm (1952). Nevill.

BIOLEG, BYWYD A CHREFYDD

'Nid bywyd yw bioleg,' meddai R. Williams Parry, ac y mae'n debyg fod y geiriau yr un mor wir heddiw ag yr oeddynt yn nyddiau'r bardd. Ond er hynny, rhaid cyfaddef fod cyflawniadau a datblygiadau gwyddonol yn ystod yr ugain mlynedd diwethaf wedi cael dylanwad mawr ar agwedd ac osgo dyn tuag at fywyd yn gyffredinol a thuag at grefydd hithau. Buddiol fyddai olrhain a thrafod effaith y dylanwadau hyn fel y cyfryw ar fywyd, a gwneud hynny bellach ac yn fwyaf arbennig o safbwynt y biolegwr. Yr ydym yn byw mewn cyfnod pan fo datblygiadau gwyddonol ac yn arbennig ddatblygiadau mewn bioleg yn gosod beunydd o flaen ein llygaid ddamcaniaethau ynglŷn â'r ddynoliaeth sydd yn sialens gref iawn i rai o'r pethau y credodd yr athronydd a'r diwinydd ynddynt am genedlaethau. Rhaid cyfaddef hefyd mai tiriogaeth yr athronydd a'r diwinydd yn unig fu'r meysydd hyn am ugain canrif a mwy. Erbyn heddiw, cydnabyddir astudiaethau'r biolegwr yntau, ac i geisio deall y darlun yn ei gyfanrwydd, peryglus ydyw anwybyddu ei ddamcaniaethau ef. Yn wir y mae dadl gref dros gredu bod astudiaethau biolegol yn fwy perthnasol yn y cysylltiadau hyn nag unrhyw wyddor arall.

Os nad ydyw crefydd i ymgyfyngu i fyd y dychymyg a'r gor-uwchnaturiol, bydd yn rhaid iddi gydgerdded â damcaniaethau diweddar am fywyd ac am ddyn, damcaniaethau sydd â chysylltiad uniongyrchol bellach â'r gwyddorau.

Aeth yn agos i gan mlynedd heibio er pan gyhoeddodd Darwin ei lyfr enwog *The Descent of Man*. Wedi i'r gyfrol ymddangos, bu brwydr ffyrnig rhwng dilynwyr Darwin a'r diwinyddion. Croniclir yr ornest yn gryno gan Lack (1957). Cred rhai fod y frwydr hon bellach ar ben, ond o'm rhan fy hun ni chredaf fod hynny'n wir, oherwydd y mae astudiaethau cyfoes ynglŷn â Darwiniaeth wedi sefydlu'r ddamcaniaeth yn gadarn iawn. Y mae'n wir fod y frwydr wedi symud ei thiriogaeth i ryw raddau ond erys y broblem sylfaenol heb ei datrys. Yn gefndir i geisio deall osgo meddwl y biolegwr cyfoes tuag at fywyd, nodir rhai agweddau ar y frwydr.

Heriwyd hanes y creu fel y ceir ef yn llyfr Genesis; yr oedd gwirionedd rhan o'r Beibl yn y fantol. Bellach, wrth gwrs, gwyddom nad ydyw'r hanes Beiblaidd i'w gymryd yn llythrennol nac yn wir yn wreiddiol. Dengys Whitley (1969) fod enghreifftiau o'r math o lenyddiaeth a geir yn llyfr Genesis ar gael yng ngwareiddiad yr Aifft a Babylon ymhell cyn i awdur llyfr Genesis roddi ei feddyliau ar gof a chadw.

Wrth danseilio'r gred yn Nuw fel crëwr a chynhaliwr, tanseiliwyd un o'r dadleuon rhesymegol cryfaf dros fodolaeth Duw. Credaf fod y ddadl hon yn bwysicach o lawer na'r ddadl gyntaf, dadl gwirionedd y Beibl, oblegid yn hon yr oedd Cristnogaeth a'r datguddiad o Dduw ym myd natur mewn perygl. Wrth nodi hyn, cofier i Gristnogaeth gael ei geni i gymdeithas a oedd yn dibynnu bron yn gwbl ar y tir o'i chwmpas. Credid bod Duw yn bresennol yng ngorchwylion beunyddiol y dyn cyffredin, ac o ganlyniad yr oedd addoliad a chrefydd yn hollol naturiol i ddyn. Yn ôl Darwin, ni chanfuwyd cynllun a phwrpas goruwchnaturiol yn y cread, yn hytrach daeth yr holl fydysawd i fodolaeth drwy esblygiad hollol naturiol. Y canlyniad oedd i grefydd ddiflannu o ymwybyddiaeth feunyddiol y ddynoliaeth. Collodd crefydd ei chysylltiad syml, naturiol a bywyd dyn.

Torrodd Darwiniaeth ar draws athrawiaeth y Cwymp a'r syniad fod dyn wedi ei greu ar lun a delw Duw. Dywed Darwin i ddyn esblygu o'r creaduriaid is-ddynol yn hytrach nag iddo syrthio oddi wrth y Duwdod.

Canlyniad y gwrthdaro yma ar y pryd oedd i grefyddwyr gredu y byddai Darwiniaeth yn arwain llawer oddi wrth Gristnogaeth, ac, i raddau, bu hyn yn wir. Ond nid ar y Darwinyddion yr oedd y bai i gyd. Yng ngeiriau Paul Tillich, diwinydd yn hytrach na gwyddonydd:

> The first step towards nonreligion of the western world was made by religion itself. This was when it defended its great symbols which were its means of interpreting the world and

> life, not as symbols, but as literal stories. When it did this, it had already lost the battle.

Ac eto yng ngeiriau Santayana:

> A religion which like Christianity seizes the essence of life, ought to be an eternal religion. But it may forfeit that privilege by entangling itself with a particular account of matters of fact irrelevant to its ideal significance.

Erys y syniad o ddewisiad naturiol (*natural selection*) yn brif nodwedd esblygiad bywyd yn gyffredinol, er i'r syniad gael ei gymhlethu a'i gywreinio ryw gymaint yn ddiweddar. O ganlyniad, y mae tuedd i nifer mwy o'r unigolion sydd yn eu haddasu eu hunain yn well ar gyfer y sefyllfa o'u cwmpas oroesi'r sefyllfa honno na'r unigolion hynny sydd a'u haddasiad i'r amgylchfyd heb fod lawn mor effeithiol.

Credaf y cyfyd hyn anhawster sylfaenol i'r Cristion. A ydyw'r Cristion sy'n anelu at fyw yn ôl egwyddorion ei grefydd, y Cristion, er enghraifft sy'n ceisio ymgyrraedd at safonau'r Bregeth ar y Mynydd, yn fwy neu yn llai atebol yn ei addasiad ar gyfer y sefyllfa o'i gwmpas? Agwedd arall ar yr un ddadl ydyw anhawster credu paham y dylai dewisiad naturiol o angenrheidrwydd arwain at safonau moesol uwch a mwy Cristnogol. Yn wir y mae'n amheus a oes gan y trugarogion, y pur o galon a'r tlodion yn yr ysbryd well siawns o oroesi yn eu bywyd os yw bywyd yn cael ei reoli gan ddewisiad naturiol. Meddai T. H. Huxley, 'The fittest to survive in the struggle for existence may be and often is the ethically worse.'

O ganlyniad, cred y Darwinyddion modern fod dewisiad naturiol yn gweithio'n groes i elfennau'r ffydd Gristnogol. Tybiaf yr amlygir y syniad yma mewn cwpled o eiddo Ann Griffiths. Meddai'r emynyddes:

Er mai cwbl groes i natur
Yw fy llwybr yn y byd.

Ar adegau ni chredaf ein bod yn llawn sylweddoli pa mor groes i natur ydyw llwybr y gwir Gristion yn y byd. Efallai mai dyma un rheswm paham na all nemor un ohonom ddilyn yr emynyddes wrth iddi fyned yn ei blaen a dweud:

Ei deithio wnaf a hynny'n dawel
Yng ngwerthfawr wedd dy wyneb-pryd.

Ac y mae hyn yn arwain dyn i feddwl am achubiaeth, yn ystyr draddodiadol y gair, hynny ydyw, mai unig obaith dyn i ymgyrraedd at safonau'r ffydd Gristnogol ydyw achubiaeth i fyd neu i ddimensiwn gwahanol. Ond yr anhawster mawr ydyw cysoni hyn â'r ffaith fod yn rhaid i ddyn wedi'r dröedigaeth, ac yn hwyr neu'n hwyrach, ildio i drefn esblygiad ar y ddaear. A'r canlyniad rhesymegol y daw dyn iddo ydyw fod bywyd y Cristion yn rhyw fath o frwydr barhaus rhwng y priodoleddau biolegol sy'n gynhenid ynddo ar y naill law a'r safonau hynny y mae'r Cristion yn anelu atynt ar y llaw arall.

Perthyn i ddyn lawer o briodoleddau sy'n ei godi tu hwnt i lefel yr anifail. Y mae hyd yn oed Huxley (1957), gŵr sy'n hiwmanydd i'r carn, yn credu bod i ddyn briodoleddau meddyliol ac ysbrydol sydd yn ei wahaniaethu oddi wrth bob math arall o fywyd a bod y gwahaniaethau hyn yn aruthrol fawr. Cred y Cristion fod gan ddyn natur ysbrydol, ei fod yn berchen enaid, fod yr enaid hwnnw wedi ei blannu ynddo gan Dduw a bod yr enaid yn dragwyddol, h.y., bod dyn mewn gair yn blentyn i Dduw. Yn ychwanegol at hyn, nodweddir y creadur dynol â phriodoleddau nad ydynt wedi eu cyplysu yn uniongyrchol â Christnogaeth, – ei werthfawrogiad o'r prydferth, ei allu i wahaniaethu rhwng da a drwg, ei allu rhesymegol, ei ryddid ewyllys a'i hunanymwybyddiaeth. Y mae a wnelo y priodoleddau hyn â datblygiad ein diwylliant ni fel dynoliaeth. Dyn yn unig sydd yn greadur hanesyddol yn yr ystyr yma. Yn awr, i wireddu Darwiniaeth, y broblem a gyfyd ydyw ceisio esbonio, a hynny ar lefel esblygiad, sut y daeth dyn i feddu'r holl nodweddion hyn.

Rhaid cyfaddef yma mai anodd i fiolegwr ydyw trafod teithi meddwl yr athronydd a'r diwinydd ar y broblem hon. Ond yr hyn sy'n ddiddorol ac arwyddocaol iawn ydyw fod y biolegwr ar hyn o bryd yn ymchwilio llawer yn y maes arbennig hwn, ac yn gwneud hynny gyda'i dechneg wyddonol.

Y mae perygl yma inni syrthio i'r un fagl â'n tadau pan ddaeth y gwyddonydd i ymchwilio ac i ddehongli dirgelion y cread drwy ddewisiad naturiol. Yn y cyfnod arbennig hwnnw y duedd oedd priodoli i Dduw bopeth na ellid ei brofi'n wyddonol ar y pryd. Wrth gwrs, fe gondemniwyd y math hwn o ymagweddiad. 'As if God lived in the gaps,' meddai Henry Drummond, ac y mae Coulson (1955) a Raven (1952) hwythau – y naill yn fathemategydd a'r llall yn wyddonydd ac yn ddiwinydd – yn llym iawn ar y math hwn o ymresymu.

Credaf, felly, mai peryglus iawn ydyw anwybyddu gwaith ymchwil y biolegwyr i'r natur ddynol. A chredaf fod tuedd ar hyn o bryd i fiolegwyr cyfoes sylweddoli y bydd y cyfan o natur dyn a'i fywyd wedi ei ddehongli'n wyddonol yn y man. Er hynny, nid ydyw'r dehongliad gwyddonol o angenrheidrwydd yn cwbl ddileu'r pwrpas a bwriadau dwyfol, er bod, efallai, duedd i hyn ddigwydd. Bellach rhaid i unrhyw synthesis ar fywyd gynnwys gwyddoniaeth fiolegol, ac ni all unrhyw gredo sy'n groes i ddarganfyddiadau gwyddonol egluro'r darlun o ddyn yn ei gyfanrwydd. Ar sail hyn, a chyda golwg ar y priodoleddau hynny sydd yn codi dyn tu hwnt i'r anifail, amlinellir rhai o ganlyniadau'r biolegwyr yn y maes hwn.

Dywed y Darwinyddion modern y gellir olrhain rhai o briodoleddau meddyliol dyn i'r creaduriaid is-ddynol. Dengys astudiaethau diweddar yn ymwneud â buchedd ac ymddygiad anifeiliaid fod rhai o leiaf, o briodoleddau meddyliol dyn i'w canfod mewn ffurfiau elfennol yn y creaduriaid is-ddynol. Daw dysg a synnwyr ar y lefel hon. Dywed Thorpe (1965), yr etholegydd enwog, er enghraifft, fod gan adar ymwybyddiaeth rifyddegol. I raddau llai, y mae'r un peth yn wir gyda'r teimlad a'r gydwybod, o leiaf mae'r dystiolaeth yn cynyddu fod y gwerthoedd hyn i'w darganfod yn arbrofol yn yr anifail.

Mae'n debyg mai'r nodwedd fwyaf anodd ei hegluro ar lefel Darwiniaeth ydyw honno sy'n ymwneud â'r agweddau ysbrydol mewn dyn: yr ymwybyddiaeth o'r sanctaidd a'r awydd i addoli ac i aberthu i Fod sydd ar lefel hollol wahanol. Os esblygodd dyn o greaduriaid is-ddynol yn ôl damcaniaeth Darwin, sut y daeth yn berchen ar y priodoleddau hyn? Yn awr daw rhai crefyddwyr dros yr anhawster hwn drwy awgrymu bod dyn wedi ei greu yn greadigaeth ar wahân, fel petai, a bod y greadigaeth honno wedi ei gwisgo ag enaid byw, a bod yn yr enaid hwnnw debygrwydd i'r Goruchaf. Ni allai syniadau am esblygiad o unrhyw fath amgyffred a chynnwys y rhodd fawr a thragwyddol hon. Os felly, rhaid cydnabod bod toriad yn llinell esblygiad wedi digwydd, a bod dyn o angenrheidrwydd felly, yn wahanol i bob ffurf arall ar fywyd yn yr un briodoledd fawr ac arbennig hon, – ei fod yn berchen ar enaid. Ac o amgylch y ffaith fawr hon y try'r grefydd Gristnogol.

Y mae gan amryw o fiolegwyr a genetegwyr ein cyfnod sylwadau cyrhaeddgar iawn i'w gwneud yn y maes arbennig hwn. Iddynt hwy, ac yn arbennig i'r genetegwyr byd-enwog Dobzhansky (1969, 1969a) a Simpson (1967) y mae dyn yn gwahaniaethu oddi wrth bob creadur arall mewn dwy agwedd sylfaenol, a'r bwysicaf o ddigon o'r agweddau hyn ydyw hunanymwybod dyn, neu ei hunanymwybyddiaeth. Yn ôl yr anthropolegydd enwog Bidney – a ddyfynnir gan Dobzhansky (1969) – dyn ydyw'r unig greadur sydd â'r gallu ganddo i fyfyrio arno'i hun, – yr unig greadur sydd yn gallu sefyll, fel petai, tu allan iddo ef ei hun ac ystyried yn ddifrifol y math o fod ydyw mewn gwirionedd, h.y., yn gallu meddwl amdano'i hun fel gwrthrych, a thrafod beth sydd arno eisiau ei wneud, ac ymholi ynglŷn â'r hyn y mae'n ceisio ymgyrraedd ato. Yn ôl Dobzhansky (*loc. cit.*) bu'r gallu hwn o'r pwys mwyaf yn esblygiad y ddynoliaeth. Yn wir, fe dderbynnir y ddamcaniaeth bellach gan amryw o ffisiolegwyr enwog, er nad oes cysylltiad agos rhyngddi a Chemeg neu Ffiseg. Dywed Thorpe (1965) fod rhywbeth yn debyg i'r meddwl dynol ymwybodol wedi esblygu amryw weithiau yn nhrefn esblygiad cyn cyrraedd ei safon bresennol. Ac fe â'r athronydd Whitehead ac eraill fel Teilhard de Chardin gam ymhellach gan gredu fod olion o'r meddwl yn gwbl gyffredinol nid yn unig ymysg bodau byw ond yn y molecylau, yr atomau a'r electronau hwythau. Bellach, edrychir ar realiti hunanymwybyddiaeth fel patrwm pendant o ddigwyddiadau yn yr ymennydd, yn union yr un fath â'r patrymau hynny a welir yng nghelloedd eraill y corff.

Credaf fod perygl i ni orsymleiddio yma, ond fe ddysgodd y biolegwyr lawer yn ystod y blynyddoedd diwethaf hyn am agweddau cemegol ar y wyddor etifeddol. Wrth wneud hynny, ni ddaethpwyd â'r wyddor honno i lefel y gwyddorau cemegol, a hynny am y rheswm y sylweddolir bod etifeddeg yn ymwneud â phatrwm o ddigwyddiadau cemegol yn hytrach na'r digwyddiadau eu hunain; h.y., yr hyn sy'n bwysig ydyw'r patrwm neu'r cynllun.

Erbyn heddiw, y mae'r genetegwr yn dechrau astudio'r patrymau hyn, – yn union fel y dechreuodd astudio etifeddeg glasurol. Yr hyn sydd yn arwyddocaol ydyw ei fod bellach yn wyddonol sicr o'r ffordd yr ymddangosodd yr elfen ymwybodol mewn dyn. A'r ateb syml yn ôl Dobzhansky (1969) ydyw y cymhellwyd yr elfen hon gan ddewisiad naturiol. Dadleuir bod hunanymwybyddiaeth yn un o'r sylfeini pwysicaf yn natblygiad diwylliant. Gall diwylliant i fiolegwr gynnwys yn rhannol o leiaf y gallu amryfal sydd mewn dyn i'w addasu ei hun ar gyfer yr amgylchfyd. I'r biolegwr, dyma ffynhonnell y diwylliant dynol.

Yn awr credir bod perthynas agos iawn rhwng hunanymwybyddiaeth ar un llaw a'r gallu i ffurfio syniadau haniaethol ar y llaw arall. A mwy na hynny, awgryma amryw o enetegwyr ac anthropolegwyr heddiw mai dyma ganolbwynt trefn gymdeithasol a chrefyddol dyn. Mewn geiriau eraill, y mae a wnelo'r elfen hon o ymwybyddiaeth yn y ddynoliaeth â datblygiad y syniad crefyddol.

Nid oes olion ffosilaidd yn dystiolaeth i hunanymwybyddiaeth ond yn ôl Dobzhansky (1969) erys rhai agweddau ar ymddygiad dynol a gyfyd yn uniongyrchol ohono. Ymysg y pwysicaf o'r rhain ymddengys y weithred o gladdu'r marw. Dyma arferiad sy'n gyffredinol drwy'r ddynoliaeth i gyd. Nid oes yr un gymdeithas ddynol yn ddihitio o'r marw, nid oes yr un yn ei adael heb ryw fath o ddefod neu seremoni, ac y mae'r gweithrediadau hyn yn hollol gyfyngedig i ddyn.

Daw Dobzhansky (*loc. cit.*) â thystiolaeth yr archaeolegwyr i gadarnhau ei ddamcaniaeth. Dengys astudiaeth archaeolegol fod y weithred o gladdu'r marw yn myned yn ôl ymhell iawn yn ein hanes fel dynoliaeth. Yn sicr yr oedd y dyn Neanderthaidd oddeutu can mil o flynyddoedd yn ôl yn ymarfer y ddefod, ac ymddengys fod lle i gredu i fodau dynol o'i flaen ef gynnal rhyw fath o seremoni. Beth ydyw'r eglurhad am y gofal hwn dros y marw? Yr un sy'n ei gynnig ei hun i Dobzhansky ydyw mai dyn, a dyn yn unig a ddaeth i wybod bod marwolaeth yn anochel.

Wrth gwrs, y mae'r ymdeimlad hwn yn rhan o hunanymwybyddiaeth, oblegid wrth i ddyn feddwl yn fyfyrgar amdano'i hun, a dechrau ystyried ei ddyfodol a'i dynged, daeth yn ymwybodol o'r terfyn eithaf. Yn wir, yn y cysylltiadau hyn, awgrymir bod symbol gwych iawn o'r ymwybyddiaeth hon yn y bennod gyntaf o lyfr Genesis. Profodd dyn o ffrwyth pren gwybodaeth, daeth i fyfyrio am ei ddyfodol, ac o wneud hynny, daeth marwolaeth yn realiti iddo.

Gyda'r ymwybyddiaeth hon, cododd meddyliau am ystyr a phwrpas marwolaeth, a chan fod bywyd yn naturiol ac yn realiti y gellir ei amgyffred, a marwolaeth ar y llaw arall yn rhywbeth gwrthnysig ac afresymol, fe ddaeth dyn yn raddol i geisio datrys y dirgelwch, ac un ai i wadu realiti'r weithred neu i lynu wrth rywbeth a bery ac a all fod yn dragwyddol. O ganlyniad, dadleuir bod addoliad, defodau, a'r gred mewn bywyd tu draw i'r bedd yn ymgais i wneud synnwyr o fywyd a'i derfyniad daearol.

I fod yn deg â'r biolegwyr, ni chredir bod bywyd dyn ar y ddaear yn troi o amgylch y syniad fod marwolaeth yn anocheladwy. Y mae a wnelo dyn â bywyd yn ogystal ag â gohirio marwolaeth anochel, ac os oes ystyr o gwbl i fywyd fe'i canfyddir ef wrth lynu wrth y pethau hynny a bery ac ymgysegru iddynt.

Cyfeiriwyd at y ddwy agwedd sylfaenol hyn ym mywyd dyn i geisio dangos sut y cred rhai o fiolegwyr ein cyfnod mai cynnyrch esblygiad dyn ydyw crefydd, ac y gellir i raddau ddehongli rhai o nodweddion ein ffydd draddodiadol drwy'r ddwy agwedd hon o'i eiddo; ei hunanymwybyddiaeth a'i ymwybyddiaeth o farwolaeth, dwy agwedd bwysig yn ei ddatblygiad. Dadl Simpson (1967), y genetegwr enwog, ydyw y gall hunanymwybyddiaeth esgor ar ganlyniadau mor real nes i ddyn ystyried eu bod yn deillio o ffynhonnell allanol a hollol wrthfaterol. Yn wir, o dipyn i beth daethpwyd i edrych arnynt fel petaent wedi eu hysbrydoli ac o ddwyfol darddiad, a thros genedlaethau tyfasant i fod yn ddatguddiadau. Meddai Simpson (*loc cit.*):

> Such introspective revelations of a gifted few may in time be accepted by many others as valid, just as may also the introspection of philosophers who do not consider themselves or do not claim to have received revelations. The ethic is then bolstered by authority, the authority of the individual philosopher or of the presumed Inspirer.

Credaf fod astudiaethau o'r math hwn gan fiolegwyr yn awgrymu bod y pwyslais ynglŷn ag esblygiad dyn wedi newid cryn dipyn yn ddiweddar. Bellach y broblem ydyw ceisio diffinio ac egluro'n llawn y nodweddion hynny mewn dyn sydd yn ei osod yn hollol ar ei ben ei hun ac yn wahanol i bob ffurf arall ar fywyd, a thrwy hynny ddiffinio pwrpas a thynged y ddynoliaeth.

Y mae amryw o fiolegwyr, ethnolegwyr ac athronwyr ein cyfnod wedi ysgrifennu'n helaeth yn y maes hwn, dynion fel Dobzhansky (1969) a Barbour (1968) yn yr Unol Daleithiau, Julian Huxley (1957), Darlington (1969), W. H. Thorpe (1965) ac eraill yn y wlad hon. Fel y gellir disgwyl, cyfyd cryn dipyn o wahaniaeth barn.

Er enghraifft, cred rhai, ac y mae eu nifer ar gynnydd, y gellir egluro a rhoi cyfrif am fywyd yn ei holl ffyrdd drwy ddeddfau Ffiseg a Chemeg. Dyma ddaliadau dynion fel Francis Crick ac eraill, y gwyddonwyr hynny a eglurodd stori'r RNA a'r DNA – ac sy'n gosod eu gobeithion bellach yn gyfan gwbl yn y molecylau. Yn y pegwn arall ceir y bobl hynny a gred fod gwahanol lefelau o drefnyddiaeth yn gysylltiedig â bodolaeth, a bod yn rhaid wrth syniadau nad oes a wnelont o gwbl â bioleg i'w hesbonio'n llawn. Rhwng y ddwy garfan hyn y mae gwahaniaethau sylfaenol ac enfawr.

Un o'r gwyddonwyr mwyaf adnabyddus a geisiodd bontio'r agendor ydyw Teilhard de Chardin (1959). Fe chwiliodd y gwyddonydd-gyfrinydd hwn yn ddyfal am achosion eang a dyfnion i esblygiad, ac edrychir ar ei gyfraniad fel math o weledigaeth enfawr a phwysig. Iddo ef, erys dewisiad naturiol yn ffaith, ond nid ydyw hynny'n egluro i Teilhard y priodoleddau uchaf a berthyn i'r bywyd dynol.

Ei argyhoeddiad ef ydyw fod rhyw fath o rym ynghanol cyfanrwydd bywyd a bod i esblygiad gyfeiriad arbennig, fod esblygiad yn llwybr clir o welliant, ac wrth i ddyn symud ar hyd y llwybr hwn, y mae'n cynyddu yn ei ymwybyddiaeth ohono nes cyrraedd yr hyn a eilw Teilhard yn 'Pwynt Omega'. A mwy na hynny, gall y dechneg wyddonol fod yn gyfeiriad pwysig i gyrraedd y nôd.

Beth ydyw adwaith y biolegwyr i'r weledigaeth hon? Fy marn i ydyw fod y mwyafrif ohonynt yn gwrthod prif linell dadl Teilhard ynglŷn ag esblygiad, a hynny am y rheswm syml nad oes prawf gwyddonol o gwbl i gredu fod i esblygiad lwybr penodedig a breintiedig. Dyfynnaf ran o feirniadaeth Syr Peter Medawar (1967) ar un o lyfrau pwysicaf Teilhard de Chardin, *The Phenomenon of Man*:

> I have read and studied the Phenomenon of Man with real distress, even with despair. Instead of wringing our hands over the Human Predicament, we should attend to those parts of it which are wholly remediable and above all to the gullibility which makes it possible for people to be taken in by such a bag of tricks as this. If it were an innocent, passive gullibility, it would be excusable, but all too clearly alas it is an active willingness to be deceived.

Geiriau caled yn wir. Nid ydyw pob biolegwr mor feirniadol. I Dobzhansky (1969a), cyfrinydd yn hytrach na gwyddonydd ydyw Teilhard, a chamgymeriad ydyw barnu ei waith yn hollol ar y lefel wyddonol. Serch hynny, credaf fod y mwyafrif o fiolegwyr ein cyfnod yn gwrthod derbyn prif linell dadl Teilhard ynglŷn ag esblygiad y ddynoliaeth.

Beth bynnag arall a olygir wrth y grefydd Gristnogol, y mae a wnelo hi â pherthynas dyn â'i gyd-ddyn. Erbyn heddiw daeth y biolegwr yntau i ymddiddori yn y maes hwn, ac y mae teithi meddwl llawer ohonynt yn ystod y blynyddoedd diwethaf hyn wedi eu harwain o fyd y gell i geisio ymchwilio'n wyddonol gywir ym meysydd datblygiadau cymeriad a buchedd dyn yn ei ymwneud â'r gymdeithas. Ymddengys fod yr astudiaethau hyn yn ymgyrraedd yn agos iawn at ffiniau'r cymal o'r ffydd Gristnogol sy'n ymdrin â pherthynas dyn â'i gyd-ddyn.

Nodwyd eisoes fod dewisiad naturiol yn gyfrwng pwysig yn natblygiad bywyd dynol. Yn gysylltiedig â hyn rhaid ystyried yr amgylchfyd y try'r unigolyn ynddo. Yn wir, un o ddatblygiadau mwyaf syfrdanol ein cyfnod ni ydyw fod dyn wedi addasu'r amgylchfyd o'i gwmpas i'w ddibenion a'i lwyddiant ef ei hun. Erbyn heddiw rhaid i grefyddwyr wynebu'r paradocs ofnadwy fod llwyddiant dyn wrth addasu'r amgylchfyd wedi dyfod yn fygythiad ofnadwy o real i barhad y ddynoliaeth ei hun. Yr hyn sy'n digwydd, wrth gwrs, ydyw fod dewisiad naturiol yn cael ei ddisodli yn araf gan ddewisiad arall, dewisiad dynol neu foesol. A chofier nad y dechneg a'r osgo wyddonol yn unig sy'n cyfrif am hyn. Gellir dadlau fod i ddyn agwedd dosturiol a gyfyd i raddau oddi ar ei grefydd, a bod yr agwedd yma yn ychwanegu at y broblem sylfaenol.

Nid rhyfedd felly i fiolegwyr cyfoes ddechrau astudio buchedd ac ymatebiad dyn i'w amgylchfyd. Ac wedi meddwl, y mae'n syndod wrth edrych yn ôl fod Darwinyddion yr ugain mlynedd diwethaf hyn, a fu mor llwyddiannus yn treiddio i mewn i gyfrinachau'r gell ar lefel y moleculau, wedi bod mor araf a chyndyn i ymchwilio i fuchedd ac ymddygiad yr unigolyn yn y gymdeithas. Y syniad ydyw y gellir edrych ar foeseg yn nhermau bioleg, ac, os ydyw'n bosibl, greu haniaethau moesol a'u defnyddio'n ganllawiau i ymddygiad dyn yn gymdeithasol, yna fe ddaw'r system o dan astudiaeth wyddonol a biolegol (Ebling 1969).

'Religion is the total response of man to his environment,' meddai Coulson (1955). Os ydyw bioleg ddiweddar yn ceisio dadansoddi'r amgylchfyd ac ymateb dyn i'r amgylchfyd hwnnw, yna ymddengys y gall Bioleg gyfrannu'n helaeth at fyd moes a chrefydd, a dadansoddi llawer ar y broblem sylfaenol a erys.

Fel y dywedwyd yn barod, y broblem bellach i'r biolegwr ydyw ceisio diffinio pwrpas a thynged y ddynoliaeth. Nid ydyw anturiaeth y cread wedi ei gwblhau, – ac yn sicr nid ein byd presennol yw'r perffeithiaf o'r holl bosibiliadau y gellir meddwl amdanynt, nac ychwaith hyd yn oed y perffeithiaf o fewn ein gafael. Y mae dyn yn ymholi'n barhaus ynglŷn â'i fodolaeth, a bodolaeth y bydysawd. Os dychymyg ydyw esblygiad, yna oferedd ydyw popeth gan gynnwys y ddynoliaeth. Os ydyw'r cyfanfyd yn esblygu, yna o leiaf y mae gobaith. Y cwestiwn a gyfyd wedyn ydyw a all Bioleg fel gwyddor fyth ddarganfod ystyr a phwrpas i fywyd, ac yn wir hawdd y gellir gofyn tybed a oes gan y gwyddonydd yr awdurdod i ymholi ynglŷn ag ystyr a phwrpas?

Y mae dyn wedi ei gynysgaeddu â hunanymwybyddiaeth, ac y mae hynny wedi ei arwain i ymdrech barhaus i ddod i delerau â'r cyfanfyd y ganwyd ef iddo. Y mae'r ffaith fod y cyfanfyd yn esblygu yn sicr o fod o'r pwys mwyaf yn y proses hwn o ymgymodi â'r byd, a chredir fod esblygiad yn gwbl berthnasol i'r cymod (Dobzhansky 1968), ond nid i'r graddau fod esblygiad bellach yn cynnwys y datguddiad eithaf – fel y cred Syr Julian Huxley ac eraill.

A'r casgliad y daw dyn iddo wrth geisio diffinio nôd esblygiad ydyw fod bioleg yn hollol angenrheidiol, ond ei bod hefyd yr un mor annigonol, a hynny oherwydd bod dewisiad naturiol erbyn hyn yn cael ei ddisodli yn araf gan ddewisiad moesol fel y nodwyd eisoes. O ganlyniad rhaid symud o fyd Bioleg i ddimensiwn gwahanol i chwilio am yr ateb llawn, – yr ateb sy'n cwbl fodloni holl ymwybyddiaeth dyn. Ac yn rhyfedd iawn, y mae llawer o'r genetegwyr a'r hiwmanyddion eu hunain yn cyfaddef bellach fod angen dimensiwn gwahanol.

Awgryma Waddington (1960) nad ydyw'r delfryd gwyddonol yn sylfaen ddigonol i'r bywyd llawn. Rhoddodd yr awdurdod gwyddonol gymeradwyaeth i un o greadigaethau mwyaf y meddwl dynol, – y meddwl rhesymegol a hwnnw wedi ei ffrwyno gan yr apêl at arbrawf. Ond yn ôl Waddington (*loc. cit.*) rhaid ychwanegu ato ddelfryd arall. Iddo ef ceir hwn ym myd y celfyddydau creadigol, – delfryd sy'n ei fynegi ei hun yng ngweithgareddau'r meddwl.

Yr hyn sy'n peri syndod ydyw fod delfryd o'r fath yn cael ei gynnig o gwbl. Oblegid fel y dengys David L. Edwards (1969) ni all y cyfryw ddelfryd fyth arwain at berthynas bersonol, nac ychwaith egluro arwyddocâd a phwrpas bywyd. O ganlyniad, ni chredaf y gall fod unrhyw gymhariaeth rhyngddi â'r datguddiad o Dduw a ddaeth i ddyn drwy Grist. Erys y datguddiad Cristnogol yn fwy perthnasol nag y bu erioed. Fel y dywedwyd, y mae dyn heddiw yn myned drwy gyfnod pan fo datblygiadau gwyddonol wedi chwalu llawer o awdurdod traddodiadol ein crefydd, – ac fel y ceisiwyd dangos, y mae amryw o seiliau'r ffydd draddodiadol yn y fantol. Yn ychwanegol at hyn ymddengys fod dyn yn trawsffurfio ei amgylchfyd ac yn dylanwadu'n uniongyrchol ar ei esblygiad ei hun.

O edrych yn ddifrifol ar bethau, ni chredaf fod byw mewn oes o'r fath yn hawdd. Ond o'm rhan fy hun, ni chredaf ychwaith fod y feddyginiaeth i'w chael wrth ailadrodd rhyw fath o uniongrededd crefyddol mewn iaith draddodiadol, iaith a gollodd ei hystyr, ei dylanwad a'i grym i raddau pell iawn.

'Christianity must be for ever reborn like the Phoenix from its own ashes,' meddai Middleton Murry (1944). Yr angen ydyw ailddarganfod arwyddocâd yr Efengyl o fewn fframwaith y meddwl biolegol cyfoes. Ni chredaf fy mod yn cablu wrth wneud gosodiad o'r fath. Meddai Toynbee (1956):

> What is permanent and universal has always and everywhere to be translated into terms of something temporary and local in order to make it accessible to particular human needs here and now.

Credaf fod y geiriau yn syfrdanol o wir yn yr oes fiolegol hon.

Efallai bod llawer iawn o'r anfodlonrwydd presennol i'w briodoli i'r ffaith fod y crefyddwr a'r biolegwr wedi cau eu llygaid yn ormodol i'r datblygiadau a fu'n digwydd yn y gwahanol feysydd o'u cwmpas. Ymddengys fod Bioleg ddiweddar yn ymestyn i diriogaeth rhai o broblemau mwyaf cyfrin y natur ddynol, ond fel y dywedais, nid ydyw'r delfryd gwyddonol ynddo'i hun yn ddigonol i werthfawrogi'r bywyd llawn. Y mae'n angenrheidiol ychwanegu delfryd sy'n ei fynegi ei hun mewn dimensiwn gwahanol. Yn y pen draw, erys y gwirionedd a gyfryngwyd inni drwy Grist – fod dyn yn blentyn i Dduw. Yn sicr dyma'r syniad dyfnaf ac efallai'r mwyaf ysbrydol y gall dyn ymgyrraedd ato, – y syniad sy'n llwyr fodloni ei holl ymwybyddiaeth. I'w gyrraedd, yr angen ydyw darganfod nid Crist y gorffennol, ond Crist y presennol a Christ y dyfodol hefyd.

Y Traethodydd, 1970

CYFEIRIADAU

Barbour, G. (1968), *Issues in Science and Religion*. S.C.M.

Coulson, C. A. (1955), *Science and Christian Belief*. Fontana.

Darlington, C. D. (1969), *The Evolution of Man and Society*. Gwasg Prifysgol Rhydychen.

Darwin, C. (1871), *The Descent of Man*. Murray, Llundain.

Dobzhansky, Th. (1968), yn 'Changing Perspectives on Man', gol. B. Rothblatt. Gwasg Prifysgol Chicago.

Dobzhansky, Th. (1969), yn 'The Uniqueness of Man', gol. J. D. Roslansky, North Holland.

Dobzhansky, Th. (1969a), *The Biology of Ultimate Concern*. Rapp a Whiting, Llundain.

Ebling, F. (1969), gol. *Biology and Ethics*. Cymdeithas Bioleg, Gwasg Academig.

Edwards, D. L. (1969), *Religion and Change*. Hodder a Stoughton, Llundain.

Huxley, J. (1957), *New Bottles for New Wine*. Chatto a Windus, Llundain.

Lack, D. (1957), *Evolutionary Theory and Christian Belief.* Methuen, Llundain.

Medawar, P. B. (1967), *The Art of the Soluble*. Methuen, Llundain.

Murry, J. M. (1944), *Adam and Eve*. Andrew Dakers, Llundain.

Raven, C. E. (1952), *Science and the Christian Man*. Symudiad Cristnogol y Myfyrwyr, Llundain.

Simpson, G. G. (1967), *The Meaning of Evolution*. Holt, Rinehart a Winston, Efrog Newydd.

Teilhard de Chardin P. (1959), *The Phenomenon of Man*. Harper, Efrog Newydd.

Thorpe, W. H. (1965), *Science, Man and Morals*. Methuen, Llundain.

Toynbee, A. (1956), *An Historian's Approach to Religion*. Gwasg Prifysgol Rhydychen.

Waddington, C. H. (1960), *The Ethical Animal*. George Allen ac Unwin, Llundain.

Whitley, C. F. (1969), *The Genius of Ancient Israel*. Gwasg Philo, Amsterdam.

ESBLYGIAD A BIOLEG DIWYLLIANT

Aeth mwy na chan mlynedd heibio bellach er pan gyhoeddodd Darwin ei gyfrol *The Descent of Man* (1871), a chyda'r blynyddoedd, daeth mwy a mwy i dderbyn y ddamcaniaeth fiolegol gyffredinol ynglŷn ag esblygiad bywyd ar y ddaear. Ym mlynyddoedd cynnar y can mlynedd hyn, bu brwydro ffyrnig rhwng biolegwyr a chrefyddwyr y cyfnod. Bellach nid oes fawr neb yn ymboeni ynglŷn â rhwygiadau a ddaeth i'r wyneb ar y pryd. Eto i gyd, erys cryn dipyn o anesmwythyd, yn enwedig i'r neb a geisio fyfyrio ym myd y gwyddorau gan astudio llwybr datblygiad ac esblygiad y ddynoliaeth.

Awgryma astudiaethau atomaidd a moleciwlar diweddar fod oed y bydysawd oddeutu 4,700 o filiynau o flynyddoedd. Ymddangosodd bywyd, a thrwy hynny esblygiad organaidd ryw 900 o filiynau ar ôl hynny, ond ni ddaeth dyn i'w lawn ddatblygiad ond ryw ddwy neu dair miliwn o flynyddoedd yn ôl. Beth bynnag am gywirdeb yr ystadegau hyn, o gyfnod Darwin hyd at heddiw, pentyrrwyd tystiolaeth ar ôl tystiolaeth i gadarnhau egwyddorion sylfaenol esblygiad biolegol bywyd ar y ddaear ac mai cynnyrch pennaf yr esblygiad hwnnw ydyw dyn. Bellach, nid canfod mwy a sicrach tystiolaeth ydyw priod waith astudiaethau esblygiadol, ond yn hytrach ddarganfod ym mha ffyrdd y mae patrwm esblygiadol y rhywogaeth ddynol yn gwahaniaethu oddi wrth holl batrymau eraill bywyd yn y byd o'n cwmpas. Ychydig sydd a wnelo'r crefyddwr ag astudiaethau o'r fath a'r canlyniad ydyw fod llawer o agweddau ar ei grefydd yn bodoli o'r neilltu i gamau breision bioleg yn ystod y blynyddoedd diwethaf hyn.

Ni chredaf mai dyma'r ffordd i estyn a dyfnhau'r elfen grefyddol mewn bywyd mewn dyddiau fel y rhain. Rhaid byw a myfyrio'n barhaus yn ein penbleth ac yn y gobaith y derbyniwn y weledigaeth sy'n debyg o ddyfnhau ein ffydd drwy ein gwyddoniaeth a thrwy wyddor bioleg yn hytrach na chau ein llygaid i'r darganfyddiadau enfawr a wnaed ym myd bioleg.

Daw'r syniad mai rhywogaeth fiolegol ydyw dyn, yn hytrach na chanlyniad creadigaeth arbennig, â chryn dipyn o fraw ac o syndod o hyd i'r crefyddwr traddodiadol sy'n mynnu glynu wrth y syniadaeth Feiblaidd, doed a ddelo. Yn sicr, edmygir y crefyddwyr hyn, ond, a dweud y lleiaf, nid ydyw eu nifer ar gynnydd, a chyll yr ychydig a erys, ei hapêl o flwyddyn i flwyddyn. Onid oes dadl gref dros gredu bod y cynnydd presennol mewn astudiaethau ac atyniadau hiwmanistaidd yn codi yn uniongyrchol oddi wrth anallu dyn heddiw i briodi y naill syniadaeth â'r llall? Nid oes amheuaeth nad yw'r darlun a dynnir gennym o ddyn yn sicr o adlewyrchu ei hymatebiad i fywyd yn gyffredinol, yn gymdeithasol, yn feddyliol yn ogystal ag yn grefyddol.

Os rhywogaeth fiolegol ydyw dyn yn y gwraidd, beth bynnag arall a ddywedir amdano, y mae'n greadur sy'n ymateb i'r amgylchfyd mewn amryfal ffyrdd. O ganlyniad, bod ydyw sy'n newid yn barhaus. Yn wir, i fod yn fiolegol gywir a chymryd ein dysgu gan Dobzhansky (1966), rhaid edrych ar y cread a bywyd drwyddo, gan gynnwys y ddynoliaeth, fel gwrthrychau sy'n newid. Cyfrinach y cyfan i gyd ydyw fod y bydysawd yn ffrwyth esblygiad ac yn dal i newid. Dyma'r gwrthdrawiad mawr rhwng crefydd a'r wyddor esblygiadol fiolegol. Dadleuir bod y gwrthdaro yn hŷn hyd yn oed na damcaniaeth Darwin. Diorseddwyd dyn o fod yn ganolfan yr holl gread yn nyddiau Copernicus a Galileo rhwng pedair a phum canrif yn ôl. Er hynny, credid y pryd hwnnw fod trefn tu ôl i'r cyfan – nid oedd newid nac esblygiad yn rhan ohono o gwbl. Gyda Darwiniaeth, chwalwyd y ddamcaniaeth hon yn deilchion – nid oes dim byd statig yn nodweddu unrhyw fath ar fywyd ar y ddaear. Ond, a dyma'r paradocs, un o briodoleddau amlycaf crefydd ar hyd y canrifoedd ydyw'r angen am sefydlogrwydd. Un o nodweddion ein hoes ni ydyw cyflymdra'r newid sy'n digwydd ymhob man o'n cwmpas. Yr ydym yn derbyn y newid gan ei lywio ar ein cyfer ein hunain nes addasu ein hunain i'r gofynion newydd a gyfyd. Serch hynny, hoffem gredu bod priodoleddau gwerthfawrocaf ein crefydd yn aros yr un, yn hollol sefydlog.

Ni fynegwyd y syniad hwn erioed yn fwy byw a chywrain nag yn emyn adnabyddus Eben Fardd:

Rhof fy nhroed y fan a fynnwyf
Ar sigledig bethau'r byd,
Ysgwyd mae y tir o danaf,
Darnau'n cwympo i lawr o hyd;
Ond os caf fy nhroed i sengi,
Yn y dymestl fawr a'm chwyth,
Ar dragwyddol Graig yr Oesoedd
Dyna fan na sigla byth.

Y mae ein hemynyddiaeth yn gyfoethog iawn yn y mynegiant a'r dyhead hwn am sefydlogrwydd. 'Y graig ni syfl ym merw'r lli,' meddai Dafydd Jones, Treborth. Mynegir yr un syniad yn emyn mawr Morswyn i 'Graig yr Oesoedd' ac yng nghwpled nodedig Edward Jones, Maes-y-Plwm, 'Diysgog yw hen arfaeth Duw o hyd; / Nid siglo mae, fel 'gweinion bethau'r byd'. Diddorol fyddai chwilio ac olrhain datblygiad y syniad am sefydlogrwydd mewn crefydd dros y canrifoedd ac yn arbennig ffynhonnell ei darddiad, oblegid erys yn gymal pwysig yn ein ffydd draddodiadol – a chymal sy bellach yn peri tramgwydd ac anhawster i'r sawl sy'n ceisio gwell cyd-ddealltwriaeth rhwng gwyddoniaeth a chrefydd. Ni chredaf fod yr awydd am sefydlogrwydd a'r cadernid a gyfyd o bosibl oddi wrtho, yn rhannau hanfodol ac anhepgor o'n crefydd. I'r gwrthwyneb, gellir dadlau fod Cristnogaeth yn grefydd sydd o angenrheidrwydd yn esblygiadol – daeth llawer datguddiad o Dduw i ddyn yn yr Hen Destament, ac yn y Newydd, ac nid yw datguddiad wedi peidio. Awgryma hyn dyfiant a newid parhaus ym myd y Cristion.

Mae'n debyg fod y pwyslais ar sefydlogrwydd a statigrwydd wedi cael hwb o'r elfen eschatolegol a oedd yng nghlwm wrth ddysgeidiaeth yr Iesu. Os oedd y diwedd yn ymyl, ofer fyddai synio'n esblygiadol ar unrhyw gymal o fywyd. Ni ddaeth y diwedd tyngedfennol –

A diwedd y byd, nid disyfyd y daw
Namyn gan bwyll, heb frys na braw
Cans araf yw'r bysedd gynt a fu'n gweu
Miraglau'r synhwyrau, i lwyr ddileu.

Bellach nid oes arlliw o'r elfen eschatolegol yn ein Cristnogaeth gyfoes ac ni phwysleisiwyd yr elfen hon o ddysgeidiaeth yr Iesu yn natblygiad yr athrawiaeth Gristnogol yn y cyfnod diweddar. Er hynny, ac wedi cyfaddef fod elfennau esblygiadol yn rhan annatod o'r ffydd Gristnogol fel y nodwyd eisoes, rhaid cydnabod na dderbyniwyd y ddamcaniaeth esblygiadol fiolegol ynglŷn â bywyd yn gyffredinol ar ôl i Ddarwin ei chyhoeddi ond derbyniwyd hi fwyfwy yn rheigl amser a bellach daeth sicrwydd y datblygiad enfawr yn y ddynoliaeth o'r cyfnod cynharaf yn ddogma boblogaidd.

Yr un math o esblygiad sydd wedi rhoi bodolaeth i'r diwylliant dynol – yr elfen honno, fe dybir, sydd, mor nodweddiadol ohonom fel rhywogaeth. Y mae'n arwyddocaol iawn mai'r rhywogaeth ddynol yn unig ymhlith oddeutu dwy filiwn o rywogaethau'r ddaear, a ddaeth i fabwysiadu a rheoli y ddyfais ymgymhwysol hon, y mae pob unigolyn yn ddieithriad yn gyfrannog ohoni, a dyna, wedi'r cwbl, yw diwylliant. Nid oes amheuaeth o gwbl ei fod yn anhepgorol i oroesiad y ddynoliaeth fel rhywogaeth ar y naill law yn ogystal â bodau dynol fel unigolion ar y llall.

Anodd ydyw crynhoi'r holl agweddau ynglŷn â diwylliant i ddiffiniad cryno, er bod llawer cais wedi ei wneud. Rhydd Kroeber a Kluckhohm dros gant a thrigain o wahanol ddiffiniadau, yn ôl Hallowell (1956)! Ym marn yr anthropolegwyr, y mae'r syniad o ddiwylliant i gynnwys yr holl agweddau hynny ym mywyd dynion a drosglwyddir gan draddodiad a chysylltiadau cymdeithasol unigolion â'i gilydd. Nid ydyw diwylliant fel y cyfryw yn ymwneud â'r agweddau hynny ar y ddynoliaeth sydd o angenrheidrwydd yn cael eu trosglwyddo yn enetegol o genhedlaeth i genhedlaeth. Cynnwys diwylliant agweddau gwahanol iawn ond maent, er hynny, yn gysylltiedig â bywyd dynion ar y ddaear. Yn ôl Young (1971), gall diwylliant grynhoi a chynnwys agweddau ar wybodaeth, iaith, crefydd, credo, deddf, arferiad, defod, celfyddyd, y gallu i ddefnyddio a chreu celfi o bob math, ac yn wir unrhyw gyfrwng sy'n gysylltiedig â'r holl ddulliau o fyw a rhoi trefn arnynt. Y mae'r syniadau hyn yn cydredeg yn agos iawn a diffiniad adnabyddus Tylor dros ganrif yn ôl. Yn hwnnw, gall dyn ennill neu fabwysiadu'r holl agweddau yma fel aelod o'r gymdeithas. Nid etifeddïr hwynt yn y modd, er enghraifft, y trosglwyddir y patrwm corfforol neu weithrediad aelodau'r corff. Dibynnant hwy ar etifeddeg fiolegol a'i dulliau Mendelaidd hi. Nid dyma hanfod trosglwyddiad yr elfen ddiwylliannol yn y ddynoliaeth. Enillir hon drwy efelychiad, hyfforddiant a dysg, ond ni all y naill fod yn gwbl annibynnol ar y llall. Fel y dywed Dobzhansky (1969), gall etifeddeg fiolegol ddylanwadu ar y gallu i fabwysiadu a throsglwyddo diwylliant neu rannau ohono – a gwneud y mabwysiad yn haws neu'n anos. Etifeddeg a rydd i ddyn y gallu i ddysgu a llefaru mewn geiriau – y mae'r gallu yma wedi ei wreiddio yng nghyfansoddiad etifeddol y creadur dynol. Ond, a chaniatáu hynny, nid etifeddeg o gwbl sy'n penderfynu'r iaith a leferir nac ychwaith yr hyn a ddywedir. Nid ydyw etifeddeg yn trosglwyddo'r nodweddion hynny a fabwysiedir gan yr unigolyn yn ystod ei oes, ond dyma'r unig nodweddion a goleddir ac a drosglwyddir gan yr hyn a olygir wrth 'ddiwylliant'.

Erys dwy garfan neu ddwy ffrwd i'r esblygiad dynol, y biolegol ar y naill law, a'r diwylliannol neu'r oruwch-fiolegol ar y llall. Nid ydyw'r ddwy ffrwd hon yn hollol gydredeg nac ychwaith yn gyfan gwbl annibynnol ar ei gilydd. Yn hytrach, dibynnant ar ei gilydd i ryw raddau, a throsglwyddir rhai o nodweddion y naill yn ôl i effeithio ar y llall. Ni ellir edrych ar yr esblygiad dynol fel proses biolegol yn unig, ond ar y llaw arall, camgymeriad ydyw ceisio mynegi'r datblygiad yn hollol yn nhermau diwylliant a'i hanes. Effaith ac adweithiad y naill esblygiad ar y llall ydyw cnewyllyn y broblem sylfaenol a rydd y sialens fwyaf un, ond odid, wrth geisio deall a datrys esblygiad y rhywogaeth ddynol dros oesoedd amser.

Bu'r ffrwd ddiwylliannol yn gyfrwng hanfodol i drawsnewid y bywyd dynol dros gyfnodau ei ddatblygiad, ond ni ddiddymwyd yr elfen fiolegol chwaith ym mhroses yr esblygiad. Daw eu cydberthynas i'r amlwg wrth sylweddoli y bodlonir swyddogaeth sylfaenol y ddynoliaeth gan y naill a'r llall drwy ymaddasiad bywyd at yr amgylchfyd a hefyd drwy reolaeth bywyd dros yr amgylchfyd hwnnw. Erys cytundeb gweddol gyflawn bellach ymysg gwyddonwyr esblygiadol ein cyfnod fod addasiad rhywogaeth i'r amgylchfyd ymysg y prif gyfryngau sy'n symbylu ac yn cyfarwyddo'r esblygiad biolegol. Fel y gwyddys, ffordd ymaddasu o weithio ydyw dewisiad naturiol, ac y mae'r dewisiad yma yn ei dro yn hyrwyddo goroesiad rhai priodoleddau ac yn gwahardd goroesiad rhai eraill. Fe ymddangosodd y sylfaen enetegol ynglŷn â'r gallu sydd gan ddyn i ennill, datblygu, newid a throsglwyddo diwylliant oherwydd y manteision cymhwysol y mae'r gallu biolegol yma yn ei roddi i'w berchenogion.

Ond fel y digwydd pethau, nid oes amheuaeth fod diwylliant yn gyfrwng ymaddasu sy'n llawer mwy effeithiol na'r proses biolegol er i'r proses hwnnw arwain i'w ddechreuad a'i dyfiant – a hynny am y rheswm ei fod yn gyflymach yn ei ganlyniadau. Ni throsglwyddir newidiadau ar y cromosomau a'r genynnau ond i epil y sawl y daethant i fodoli ynddynt. Trosglwyddir y newidiadau ynglŷn â diwylliant, ar unwaith, i nifer mawr o'r hil ac yn hollol annibynnol ar y system fiolegol. Wrth gynhyrchu'r sylfaen enetegol hon i ddiwylliant, rhagorodd esblygiad fiolegol arno'i hun, fel petai, a daeth y creadur dynol i sefyll yn hollol ar ei ben ei hun ymhlith holl rywogaethau'r ddaear. Bellach, cred y mwyafrif o anthropolegwyr mai oddeutu deugain mil o flynyddoedd yn ôl y disodlwyd yr hil Neanderthaidd yn Ewrop – a hynny'n gymharol gyflym, gan hiliogaeth a oedd yn debyg iawn i'r ddynoliaeth fel yr adnabyddir hi ar hyn o bryd. Perthyn iddi nodweddion gwahanol iawn i'r hil flaenorol. Nid oes gwybodaeth bendant ynglŷn â'r cyff y tarddodd yr hil ddynol ohono, nac ychwaith ynglŷn ag amseriad y digwyddiad, ond y mae'n amlwg i'r rhywogaeth ddynol bresennol esblygu o ffurfiau nad oeddynt yn ddynol i'r graddau a olygir heddiw wrth 'ddynol'. Yn y cysylltiadau hyn, rhaid cofio mai anodd ydyw diffinio'n fanwl gywir yr hyn a olygir yn gyffredinol wrth rywogaeth. Gwyddys i un rhywogaeth wahaniaethu oddi wrth un arall yng ngwneuthuriad y genynnau ar y cromosomau. O ganlyniad, ni all rhywogaeth newydd ymddangos yn unig drwy gyfnewidiadau geneol mewn unigolyn. Yn hytrach, cyfyd rhywogaethau newydd drwy grynhoad maith o wahaniaethau sylfaenol ar y genynnau, ac wedi hynny gan yr holl gyfnewidiadau a all ddigwydd a chronni dros gyfnodau oherwydd dewisiad naturiol. Cyfyd rhywogaethau, nid ar amrantiad fel unigolion sengl ond fel poblogaethau sy'n graddol ymwahanu dros diriogaethau eang ac yn ymaddasu, o ganlyniad, i'r amgylchiadau sy'n bodoli yn y tiriogaethau hynny.

Y mae dadl gref dros gredu bod y rhywogaeth ddynol wedi dod i'w hoed pan ddysgodd y creadur is-ddynol nid yn unig ddefnyddio rhyw fath o offerynnau neu gelfi syml, ond hefyd eu gwneud i'w bwrpas arbennig ef ei hun. Dyma ddadl fawr Oakley yn ei draethawd enwog sy'n gynwysedig mewn cyfrol a olygwyd gan Montagu (1962). Iddo ef yr oedd y gallu i wneud rhyw fath o declyn yn llawer mwy arwyddocaol yn natblygiad y creadur dynol na'r gallu a feithrinwyd ganddo i'w ddefnyddio'n unig. Y mae'r ymwneud neu'r creu yn brawf fod yna ragweled y dyfodol – a bu hyn yn gam pwysig yn esblygiad y ddynoliaeth a'i gallu i ymaddasu ar gyfer amgylchiadau byw. Ond cyfyd anhawster yma oblegid er i Oakley honni fod y weithred o ddefnyddio celfi yn un o deithi pwysicaf dyn, eto i gyd, ceir digon o brofion i gyplysu'r creaduriaid isddynol â chelfi syml eu gwneuthuriad. Y mae digon o enghreifftiau o'r creaduriaid hyn yn defnyddio gwialen neu ffon bren i'w galluogi i ddarganfod pethau manteisiol iddynt dan wyneb y pridd. Nid oes amheuaeth fod y defnydd a wneir o ffyn yn y cysylltiadau hyn yn codi oddi wrth yr ymaddasu at fywyd ar y gwastadeddau.

Cyfyd yr un anhawster ynglŷn â'r gallu i wneud a ffurfio celfi ac offerynnau arbennig. Er i hyn alw am ddimensiwn meddyliol llawer uwch, fel y dywedwyd, hyd yn oed yma, fe geir tystiolaeth nad ydyw'r gelfyddyd o ffurfio celfi yn gwbl gyfyngedig i ddyn. Y mae enghreifftiau ohoni ymysg y creaduriaid isddynol. Gallant hwy gymhwyso dwy wialen neu ffon at ei gilydd i gyrraedd lluniaeth sydd tu draw iddynt o ddefnyddio'r naill neu'r llall ar ei phen ei hun. A chyda llaw, cyfyd gwahaniaeth pwysig yma rhwng yr isddynol ar dynol. I'r naill, daw'r wobr yn sicr ac ar unwaith, ond gall dyn synio yn ei ddychymyg am y fantais o greu teclyn i'w ddefnyddio yn y dyfodol pell, ac y mae canlyniadau'r gallu hwn bron yn ddi-ben-draw er i'r celfi fod yn gymharol syml.

Ni ellir trafod yr agweddau hyn ynglŷn â datblygiad y bywyd a'r diwylliant dynol heb gymryd i ystyriaeth bwysigrwydd y gallu i fabwysiadu agweddau ar y diwylliant hwnnw a ddaeth i'r ddynoliaeth drwy gyfrwng lleferydd. Yn wir, cred Rensch (1972) ac eraill fod y traddodiad ieithyddol yn fwy nodweddiadol o'r creadur dynol na'r gallu i ddefnyddio a chreu celfi pwrpasol. Er hynny, nid ydyw lleferydd ond un offeryn arbennig sy'n dibynnu ar y gallu i feddwl yn syniadol. Efallai bod lle i gredu y gallai'r creaduriaid isddynol ymateb i syniadau meddyliol cyntefig mewn ffurfiau ymarferol, ond ymddengys na all dynion bellach feddwl yn syniadol heb ddefnyddio iaith ac ymadrodd. O ganlyniad, edrychir ar yr elfen lafarol yn gam hanfodol yn esblygiad y diwylliant dynol, er y tybir mai datblygiad cymharol ddiweddar ydyw hyn yn hanes y ddynoliaeth. Nid oes amheuaeth mai rhyw fathau o ystumiau â'r breichiau a'r dwylaw oedd y ffurfiau cyntaf o gyfathrebu rhwng unigolion wrth iddynt ddechrau cymdeithasu â'i gilydd yng nghyfnod helwriaethol eu hesblygiad. Ond yn fuan defnyddiwyd yr aelodau fwy a mwy i berffeithio'r gallu i drafod celfi ac o ganlyniad daeth yn raddol ddulliau mwy pendant a phenodol i hyrwyddo cyfeillach lafarol ac ieithyddol.

Y mae'n arwyddocaol hefyd fod y datblygiadau hyn, y celfyddydol a'r ieithyddol, yn cydoesi â'r cynnydd a ddigwyddodd ym maint yr ymennydd dynol. Y rhannau hynny o'r ymennydd a gynyddodd yw'r celloedd a gysylltir â'r cof, rhagwelediad ac iaith – yr union briodoleddau hynny sy'n nodweddiadol o ddatblygiad y bywyd dynol cymdeithasol. Mewn traethawd meistrolgar, dadl Miller (1972) wrth drafod y rhesymau dros y cynnydd mawr yn y rhannau hyn o'r ymennydd, ydyw y crewyd pwysedd dewisiadol cryf tuag at y gallu i ddwyn i gof, h.y., i gofio. Yr hyn a roddodd symbyliad i'r angen gwerthfawr yma oedd y symbolau a gynhyrchir gan iaith. Os felly, yr awgrym yw fod lleferydd wedi ymddangos gyntaf ac mai canlyniad hynny oedd y cynnydd ym maint yr ymennydd. Yn fiolegol, achosodd hyn ychwanegiad at fanteision dewisiadol y sawl yr oedd llefaru yn dyfod yn nodweddiadol ohonynt.

Gall plentyn normal ddysgu siarad heb unrhyw anhawster o gwbl, ac mae'n gwbl amlwg fod iaith wedi bod yn fantais amhrisiadwy i'r creaduriaid cyntaf a ddaeth i'w defnyddio a'i meithrin. Iaith ydyw un o'r priodoleddau mwyaf cyffredinol, os nad y fwyaf un, yn y rhywogaeth ddynol. Barn Dobzhansky (1972) ydyw fod gwreiddiau iaith wedi'u plannu yr un mor ddwfn yn ein cyfansoddiadau naturiol â'r duedd sydd ynom i ddefnyddio ein dwylaw. Dyma a gysylltir yn arferol fwyaf â diwylliant. Ei sylfaen ydyw'r nodwedd lafarol yn ein cyfansoddiad ac y mae diwylliant fel iaith yn gwbl nodweddiadol o'r rywogaeth ddynol.

Ond er gwaethaf hyn i gyd, rhaid cofio a phwysleisio'r ffaith fod hyn yn un o hanfodion y rhywogaeth ddynol drwyddi – nid un o briodoleddau rhyw boblogaeth neu dras arbennig mohoni o gwbl. Y mae'r galluoedd i fabwysiadu a defnyddio iaith wedi eu gwreiddio yn ein cyfansoddiad genetigol fel dynoliaeth, ond y mae angen pwysleisio hefyd nad ydyw'r gallu yma wedi ei ennill a'i ddatblygu ar gyfer unrhyw iaith arbennig. Nid oes genynnau wedi eu harbenigo ar y cromosomau dynol ar gyfer un iaith arbennig, ac yn natblygiad diwylliant unrhyw genedl neu hiliogaeth, y mae'r gallu hanfodol enetigol i ynganu neu lefaru wedi chwarae rhan lawer iawn pwysicach na meistrioli priodoleddau un iaith arbennig. A chofier bod y gallu i lefaru yn llawer hŷn na phriodoleddau iaith – pa iaith bynnag y bo. Y mae dadl gref dros awgrymu bod y gallu i lefaru mor hen â Homo sapiens ei hun, a bod y gallu hwn wedi esblygu yn gyfochrog neu o leiaf yn yr un cyfnod â'r gallu i wneud a defnyddio celfi ac offerynnau. Dyma rai os nad y pwysicaf a'r mwyaf sylfaenol o holl briodoleddau'r ddynoliaeth.

Gyda'r esblygiadau tyngedfennol hyn – y biolegol a'r diwylliannol, daeth dyn yn berchennog ar y ddawn i saernïo'r amgylchfyd yn fympwyol ac i drawsnewid ei fioleg drwy ei ddiwylliant. Gellir gwneud hyn yn fwriadol, ond yn bwysicach fyth, i gydfynd â dewisiad dynol. Y mae'n amlwg y rhydd hyn gyfrifoldebau ychwanegol ac anferth ar y ddynoliaeth gyfan, a chan mai yn gymharol ddiweddar y daeth dyn wyneb yn wyneb â'r dewis hwn, ni roddwyd yr ystyriaeth ddyladwy i'r cyfrifoldeb a gyfyd. Cred rhai nad oes a wnelo'r ddynoliaeth bellach ag esblygiad biolegol ond camgymeriad ydyw hynny oblegid erys cysylltiadau pendant rhwng y biolegol a'r diwylliannol.

Y wers yn hyn i gyd ydyw fod hanfod llwyddiant y ddynoliaeth, ac yn wir lwyddiant unrhyw hil o'i mewn, yn dibynnu ar amrywiaeth ei doniau a'i gallu, o ganlyniad, i addysgu ac addasu ar gyfer pa amgylchiadau bynnag a ddaw i'w rhan. Y gwahanrwydd a'r amrywiaeth yma sy'n cyfrif am gyfoeth diwylliant mewn cymdeithas. Po fwyaf yr amrywiaeth cynhenid sy'n gysylltiedig â diwylliant, gorau yn y byd ydyw siawns y diwylliant hwnnw i ffynnu a chynyddu. Ond os mynnir sianelu diwylliant i ffyrdd cul ac, o ganlyniad, golli'r amrywiaeth, nid oes cystal siawns wedyn iddo oroesi'r holl amgylchiadau a fydd yn debyg o'i wynebu. Yr allwedd ydyw i'r unigolyn fod yn gymwys a hefyd yn un y gellir ei gymhwyso, oblegid y mae'r amgylchfyd, a'i newid beunyddiol, yn gosod sialens ar ôl sialens i'r sawl sy'n ceisio byw ynddi. Un o'r teithi mwyaf hanfodol a manteisiol mewn dyn ydyw'r amrywiaeth ddatblygiadol yma yn ei ymddygiad, a'r hyn sy'n bwysig yn hyn ydyw'r gallu i fabwysiadu cymhwyster ym mha sefyllfa bynnag y caiff dyn ei hun ynddo, a phan fo'r newidiadau diwylliannol a chymdeithasol yn gyflymach heddiw nag a fuont erioed o'r blaen, bydd y gallu hwn yn hanfodol bwysig, a dylid meithrin ei ddatblygiad yn fwy, yn hytrach na chanolbwyntio ar rai agweddau y tybir heddiw fod ein dyfodol yn dibynnu arnynt ac yn sicr yn hytrach na gwrthod newidiadau yn llwyr.

A chofier hefyd fel y dengys Montagu a Dobzhansky fwy nag unwaith yn eu hastudiaethau, nad ydyw'r amrywiaeth ddatblygiadol hon yn gwrthweithio yn erbyn cydraddoldeb ymysg unigolion yn y gymdeithas. Yn fiolegol, ni olyga cydraddoldeb y daw pawb yn debycach i'w gilydd – pe digwyddai hynny collai bywyd un o'i nodweddion pwysicaf, fel yr eglurwyd eisoes. Yn hytrach, golyga cydraddoldeb fod y cyfle gorau yn cael ei gynnig i'r ddynoliaeth drwyddi draw i hyrwyddo'r gwahanrwydd eithaf posibl. Y mae esblygiadau biolegol a diwylliannol y gorffennol yn brofion pendant o hynny – a dyna sy'n cyfrif am lwyddiant anferth y ddynoliaeth. Yn ddelfrydol, dylai pob unigolyn dderbyn y cyfle gorau i ddatblygu'r cymwysterau uchaf sydd ynddo, a chan fod cymwysterau pob unigolyn yn amrywio yn enetigol, rhaid wrth yr amgylchiadau mwyaf ffafriol i'r unigolion hynny i gyrraedd eu huchafbwyntiau arbennig hwy.

Dyn ydyw unig gynnyrch esblygiad sy'n ymwybodol o'i ddatblygiad ei hun. Rhydd yr esblygiad dynol drwy ddewisiad naturiol a diwylliannol, gyfle i ddyn ymateb i sialens cyfleusterau'r amgylchfyd. Y datblygiad diwylliannol fu'n gyfrifol am gadw'r holl ddynoliaeth ac oddi mewn i'r un rhywogaeth, a serch hynny i roddi'r gwahanrwydd mwyaf oddi mewn iddi. Ac o ganlyniad i'r ffaith fod y datblygiad diwylliannol gymaint mwy effeithiol na'r nodweddion hynny sy'n gwbl enetegol yn eu tarddiad a'u parhad, y mae'n amheus a oes gwir sail i'r holl raniadau o fewn yr hil ddynol.

Awgryma Young (1971) nad ydyw hyd yn oed y ffactorau cwbl fiolegol yn chwarae rhan bwysig i gadw'r gwahaniaethau rhwng rhannau o'r hil ddynol – rhannau a ymddengys ar un olwg yn wahanol iawn i'w gilydd. O ganlyniad, a chyda'r esblygiad diwylliannol sydd mor nodweddiadol o ddyn, efallai y dylid edrych bellach ar y ddynoliaeth fel uned ynddi ei hun yn hytrach na fel amryw o unedau ar sail hiliogaeth a gwehelyth. Tueddir o hyd i'r rhaniadau hyn orbwysleisio eu gorchestion hwy eu hunain a hynny ar draul y ddynoliaeth fyd-eang. Y mae dadl dros edrych ar bob unigolyn yn y pen draw fel aelodau o'r holl fyd fel y profont ddinasyddiaeth byd. Cyfyd problemau heddiw na ellir eu datrys ond drwy edrych arnynt o safbwynt y byd drwyddo draw. Yn eu plith, y mae'r frwydr i ddileu afiechyd a newyn, i rannu gwybodaeth, lledaenu diwylliant ac i ddatrys problemau poblogaeth. Ni all dyn ddod i'w fri ond wrth i'r holl genhedloedd ddechrau aberthu eu penarglwyddiaeth a'u cenedligrwydd eu hunain a rhoddi yn eu lle benarglwyddiaeth y ddynoliaeth gyfan. O gofio'n deunydd, dyma'r unig ffordd briodol i amddiffyn y gwahanrwydd cynhenid a fu mor nodweddiadol bwysig a hanfodol yn natblygiad ac etifeddiaeth y ddynoliaeth hyd at y dyddiau hyn.

Y Traethodydd, 1974

CYFEIRIADAU

Darwin, C. (1871), *The Descent of Man*. Murray, Llundain.

Dobzhansky, T. (1966), *Mankind Evolving*, Prifysgol Yale.

Dobzhansky, T. (1972), yn *Biology and the Human Species. The Herbert Spencer Lectures*, gol. J. W. S. Pringle. Gwasg Clarendon, Rhydychen. Darlithoedd Herbert Spencer.

Hallowell, A. I. (1956), *The Structure and Functional Dimensions of a Human Existence*. Quart. Rev. Biol, 31, 88-101.

Montagu, A. (1962)., *Culture and the Evolution of Man*. Gwasg Prifysgol Rhydychen.

Miller, C. A. (1972), yn *Biology and the Human Species*. Gwasg Claredon, Rhydychen.

Rensch, B. (1972), *Homo sapiens from man to demigod*. Methuen, Llundain.

Young, J. Z. (1971), *An introduction to the study of Man*. Gwasg Clarendon, Rhydychen.

EIN HETIFEDDIAETH – TRI CHYFRANIAD

Bu'r blynyddoedd diwethaf hyn yn gyfnod o brysurdeb anghyffredin ymysg y biolegwyr hynny sy'n arbenigo yn y gwyddorau genetigol ac esblygiadol. Dechreuodd yr astudiaethau hynny fwy na chanrif yn ôl pan gyhoeddodd Darwin ei *Origin of Species* (1859) a'i *The Descent of Man* (1871). Ymledodd y wyddor esblygiadol yn gyflym yn ystod y can mlynedd diwethaf, ac, ar brydiau, anodd fu mesur gwir arwyddocâd yr holl lafur ymchwiliadol yn y maes pwysig hwn yn arbennig ar ein dealltwriaeth o ddatblygiad yr hil ddynol – yn fiolegol, yn gymdeithasol ac yn ddiwylliannol dros gyfnodau maith o amser.

Gwelwyd llawer ymgais ar ran y Neo-Ddarwiniaid i gyfrannu'r holl ymchwiliadau yn un wyddor sylfaenol i bortreadu esblygiad holl briodoleddau y creadur dynol. Ni bu llwyddiant i'r ymdrechion gan nad oedd astudiaethau hanesyddol, genetigol a biolegol ar y pryd wedi aeddfedu digon i gynnig atebion cynhwysfawr i'r mwyafrif mawr o'r cwestiynau a ddaeth i'r wyneb wedi i Darwin ffurfio ei ddamcaniaeth esblygiadol.

Yn ystod y blynyddoedd diwethaf hyn yn unig y daeth cynnig i roddi atebion digonol drwy fabwysiadu canlyniadau y gwyddorau perthnasol i greu seiliau cysylltiol a chadarn i ddatblygiad yr hil. Daethpwyd i gydnabod cyffredinolrwydd esblygiad a cheisiwyd astudio dylanwad hynny ar holl agweddau bywyd gan gynnwys y ddynoliaeth drwyddi. Rhaid oedd astudio i ddechrau, ac yna grynhoi, agweddau biolegol a diwylliannol yn esblygiad yr unigolyn ac ar yr un pryd weu effaith a dylanwad y gymdeithas a'r amgylchfyd hwythau ar ei ddatblygiad. Nid gorchwyl fechan na hawdd mo hyn ond yn ystod y cyfnod, ymddangosodd amryw o gyfrolau gan arbenigwyr na all yr un biolegydd nac ychwaith y neb a gymero unrhyw fath o ddiddordeb esblygiadol yn y ddynoliaeth, fforddio i'w hesgeuluso heddiw. Yn eu plith, saif tri ymhell ar y blaen, llyfrau sy'n anhepgorol i geisio deall a gwerthfawrogi teithi meddwl a phenderfyniadau y gwyddonwyr esblygiadol, y genetegwyr a'r anthropolegwyr sy'n ymchwilio yn eu priod feysydd a cheisio eu huno yn un astudiaeth lawn.

'MANKIND EVOLVING'

Y cyntaf o'r cyfrolau hyn ydyw *Mankind Evolving* gan Theodosius Dobzhansky (Prifysgol Yale) a chan fod astudiaethau'r genetegwr yma ymysg y blaenaf a'r pwysicaf heddiw, efallai y byddai gair neu ddau am yr awdur yn addas yn y cyswllt yma. Ganwyd Dobzhansky yn ymyl Kief yn yr Ukraine ar ddechrau'r ganrif a derbyniodd ei addysg gynnar yn Leningrad. Yn fuan ac oherwydd amgylchiadau arbennig a enynnwyd yn Rwsia gan Lysenko a'i ddilynwyr, cododd ei adenydd, gadawodd wlad ei febyd a chartrefu yn yr Unol Daleithiau. Ei briod faes drwy gydol ei fywyd ydoedd geneteg glasurol ond, yn raddol cynyddodd ei ddiddordeb yng ngeneteg yr hil ddynol a'i esblygiad. Cydnabyddir ef drwy'r byd ymysg y mwyaf, os nad y mwyaf un, yn ei faes. Y mae nifer ei gyhoeddiadau gwyddonol dros bedwar cant, a derbyniodd oddeutu pymtheg o raddau er anrhydedd gan brifysgolion mawr y byd. Purion felly ydyw canolbwyntio ar y gyfrol hon o'i eiddo. Yn y llyfr, ceir ffrwyth ei holl astudiaethau ynglŷn ag esblygiad y ddynoliaeth, ac y mae'r cyfan wedi ei ysgrifennu mewn iaith syml a chlir ar gyfer y biolegydd a'r sawl na ŵyr fawr ddim am y wyddor honno.

DARLUN CYNHWYSFAWR

Ymgais ydyw'r llyfr i ddadansoddi holl hanes y ddynoliaeth yn nhermau geneteg – nid gorchwyl fechan, ond llwyddodd Dobzhansky i roddi darlun cynhwysfawr o bwysigrwydd geneteg yn natblygiad a gwead y ddynoliaeth. Wedi rhoddi braslun o'r wyddor enetigol fel cefndir i ddeall gweddill y gyfrol, ymdrinir â natur gynhenid yr unigolyn a'r amgylchfyd o'i gwmpas yn fwyaf arbennig o safbwynt y ffordd y mae y naill yn gwrthweithio neu yn cydweithio a'r llall. Ceir penodau ar etifeddeg iechyd ac afiechyd, ac ar ddewisiad naturiol a gydnabyddir bellach yn rhan hanfodol ym mhroses esblygiad y ddynoliaeth. Wedi'r cyfraniad yma, daw yr awdur a'i holl wybodaeth wyddonol enetigol i drafod gwahanol agweddau ar ddatblygiad y creadur dynol hyd at heddiw gan gynnwys esblygiad ei allu meddyliol, tras, dosbarth, gwehelyth ac eugeneg. Dyma gyfrol a rydd y wybodaeth wyddonol ddiweddaraf yn y meysydd pwysig hyn, ond wedi dweud hynny, nid oes ymgais yn y gyfrol i ddylanwadu ar feddwl y darllenydd nac ychwaith i broffwydo'n fympwyol. Yn sicr ni all y sawl sy'n ymddiddori ac yn astudio'r natur ddynol a'i datblygiad ac yn ceisio dyfod i adnabyddiaeth lwyrach ohoni, fforddio i anwybyddu'r gyfrol nodedig hon.

CYFROL EHANGACH

Y mae'r ail gyfrol – *Evolution of Man and Society* gan C. D. Darlington, F.R.S. (George Allen and Unwin), athro Botaneg yn Rhydychen hyd yn ddiweddar – yn llawer iawn ehangach ac yn fwy hanesyddol ei chefndir. Yn wir, anodd ydyw dirnad sut y daeth yr awdur, ac yntau yn fotanegydd yn y gwraidd, i ysgrifennu ar raddfa mor eang a chanolbwyntio ar yr holl bwerau a ffurfiodd y gymdeithas ddynol fel yr adnabyddir hi heddiw. Hanfod y llyfr hwn ydyw'r dadansoddiad manwl a gofalus o ddatblygiad ac arwahanrwydd y cymdeithasau dynol drwy'r byd o safbwynt eu deunydd genetigol. Rhydd yr athro bwyslais mawr ar yr agweddau genetigol yn hytrach na'r agweddau amgylchfydol, ond y mae dylanwad y naill ar y llall i'w ystyried i ddatrys cyfrinach datblygiad yr holl gymdeithasau dynol. Ymdrinnir â'r hynaf a'r diweddaraf ohonynt, gan ganolbwyntio ar ddarganfyddiadau yn ymwneud â braenaru'r tir, magu anifeiliaid, crefft y crochenydd a'u dylanwad ar adeiladwaith y gymdogaeth. Wedi trafod cymdeithasau cynnar, ceir amlinelliad manwl o'r gwahanol wareiddiadau a'u tynged. Ymledodd poblogaethau i Ewrob gan ddyfod â chynllun a thechneg briodol gyda hwy. Rhoddir cyfran helaeth i drafod lledaeniad crefydd ac ymateb y wladwriaeth iddi. Ceir ymdriniaeth â'r datblygiadau yn yr Unol Daleithiau, hanes cynnar China a threfniadau masnach y caethion.

TESTUN CYMHLETH

Ni ellir yma ond cyfeirio'n fras at gynnwys y llyfr ond dengys y cyfeiriadau hyn pa mor gynhwysfawr ydyw cefndir y gyfrol a'r wybodaeth enfawr a drosglwyddir i'r darllenydd. Y mae cymhlethdod y testun yn amlwg i bawb, ond y mae yma ymgais deg iawn i olrhain yr holl ddatblygiad dros y cyfandiroedd. Trwy efrydiaeth o'r math yma y gellir dyfod i adnabyddiaeth lwyrach o'n defnydd a'n hesblygiad a thrwy hynny dderbyn gweledigaeth glirach i'r dyfodol.

CYNNYRCH OES

Nid oes yn y naill na'r llall o'r llyfrau hyn ddarlun llawn o'r holl agweddau biolegol hynny sydd yn perthyn i ddyn, ond y mae'r drydedd gyfrol yn llenwi'r bwlch yma i'r ymylon. Ffrwyth cynnyrch oes o astudiaeth fanwl ar ddyn a welir yng nghyfrol yr Athro J. Z. Young, *An Introduction to the Study of Man* (Gwasg Clarendon, Rhydychen). Er bod yr awdur wedi canolbwyntio ar y creadur dynol a dangos yn eglur ddigon weithgareddau'r bywyd hwnnw, nid dyma gryfder a phwysigrwydd y llyfr. Ei arwyddocâd ydyw ei fod yn ymwneud â holl agweddau'r bywyd dynol gan ddechrau gyda'r ddamcaniaeth fodern ynglŷn â tharddiad a ffynhonnell y cyfan. Y mae yma drafodaeth lawn ynglŷn ag esblygiad ein byd a'r bywyd a geir arno, datblygiad diwylliant, y gallu i lefaru, y cynnydd mewn deallusrwydd a'r moddion sydd ar gael heddiw i'w fesur, yr ymwybyddiaeth ddynol â phroblemau poblogaethau sy'n wynebu'r ddynoliaeth gyfan erbyn hyn. Wrth drafod yr ymennydd a'r meddwl dynol, y mae'r Athro Young ar ei faes arbennig ei hun, oblegid dyma dir ei ymchwil a'i gwnaeth yn fydenwog fel biolegydd. Traethir yn fanwl a chlir ar ddatblygiad yr ymennydd, ac effaith hynny ar bersonoliaeth yr unigolyn o ddyddiau mebyd i henaint a'r newidiadau sy'n gysylltiedig a'r cyfan, nes cyrraedd pen y daith – y farwolaeth sy'n angenrheidiol i barhad y ddynoliaeth yn gyffredinol ar ein daear; dyma baradocs os bu un erioed ond mor wir yr ymadrodd! Y mae yma ddadansoddiad cemegol a thrafodaeth ar DNA ac RNA, y pwerau rhywiol, yr ymarweddiad dynol, a'r cyfan wedi eu gweu yn un stori, nid bob amser yn hawdd i'w deall, ond serch hynny yn un a rydd ddarlun llawn cyn belled ag y mae hynny'n bosibl gyda'r wybodaeth ymchwiliadol a ddaeth i'r wyneb yn ddiweddar. Gyda'r stôr enfawr o wybodaeth a geir yn y llyfr, nid ydyw'r awdur byth yn rhoddi penrhyddid i'w ddychymyg – y mae ei gasgliadau a'i benderfyniadau yn ofalus a chynnil, a chyfaddefir fod eto lawer o wybodaeth sylfaenol i'w ddarganfod ynglŷn â datblygiad ac esblygiad y creadur dynol.

I ryw raddau, y mae'r tri llyfr yn canolbwyntio ar yr un testun ond y mae eu defnyddiau crai a'u ffurfiau o astudiaeth yn wahanol iawn o ran eu gogwydd. Rhagoriaeth cyfrol Dobzhansky ydyw ei hymdriniaeth ganolog ag esblygiad y ddynoliaeth o safbwynt yr unigolyn yn fwyaf arbennig, ond ymledir y gorwelion gan Darlington gyda'i drafodaeth feistrolgar ar ddatblygiad y cymdeithasau dynol drwy'r byd a'r dylanwadau a ddaeth i bwyso'n drwm ar y cymdeithasau hynny. Dadlennir stori'r ddynoliaeth gan Young o safbwynt yr unigolyn, ond y tro hwn, ochrir tuag at y sylfaen fiolegol a berthyn i ddyn a dadansoddir oddi wrth hynny natur y dyn modern.

YR ANGEN AM ATEB

O astudio'r cyfrolau hyn, daw'r darllenydd wyneb yn wyneb â rhai o agweddau dyfnaf ei wneuthuriad fel unigolyn ar un llaw a'i ddatblygiad fel aelod o gymdeithas ar y llall. Nid hawdd ydyw diffinio yr agweddau hyn; rhan ydynt o natur gynhenid y creadur dynol – natur a ddatgelir yn feunyddiol o flaen ein llygaid. Ac y mae'r ffaith fod dyn drwy gydol ei oes a'i hanes yn ymholi ynglŷn â'i natur yn rhan hanfodol o'r hyn ydyw mewn gwirionedd. Yr hyn sy'n cynnwys yr hanfod ydyw yr ymchwilio beunydd a'r angen am ateb. Rhydd y cyfrolau hyn ganllawiau cadarn a sylfaenol i'r ymchwil; dyma eu cryfder a'u gwerth, oblegid y mae'r darlun a ddaw yn raddol i'r wyneb o ganlyniad i'r dadansoddi a'r ymchwilio parhaus i natur yr hil ddynol, yn sicr o adlewyrchu i raddau pell iawn ein holl ymatebiad i fywyd yn ei gyfanrwydd.

Y Gwyddonydd, 1975

CYFEIRIADAU

Darwin C. (1859), *On the Origin of Species.* Murray, Llundain.
(1871) *The Descent of Man*. Murray, Llundain.
Dobzhansky Th. (1962), *Mankind Evolving*. Yale Llundain.
Darlington, C.D. (1969), *The Evolution of Man and Society*. George Allen a Unwin, Llundain.
Young, J. Z. (1971), *An Introduction to the Stody of Man*. Clarendon, Rhydychen.

BIOLEG, DIWYLLIANT A CHREFYDD

Gyda'r blynyddoedd, daeth agweddau cyrhaeddgar a phwysig i'r amlwg ynglŷn â datblygiad diwylliant a chrefydd y creadur dynol. Cyfyd llawer ohonynt o ganlyniad i ddamcaniaethau ac ymchwiliadau biolegol y can mlynedd diwethaf, cyfraniadau a gynyddodd yn ddirfawr yn ystod y deg neu'r pymtheng mlynedd diwethaf.

Beth bynnag a fernir am y cread a'i esblygiad, ei awr pen llanw ydyw dyn – ef ydyw uchafbwynt yr holl gread a'i gynnyrch pennaf. Y mae'n wir nad ydyw dyn ar y blaen ar sail yr holl briodoleddau sy'n gysylltiedig â bywyd a'i esblygiad. Er enghraifft, y mae gan lawer o'r mamaliaid well systemau clywed ac arogli, ond a chymryd yr holl agweddau yn eu cyfanrwydd, ymddengys dyn ymhell ar y blaen fel cynnyrch y broses esblygiadol. Ond, a chaniatáu hynny, rhaid sylweddoli bod tebygrwydd ymysg holl ffurfiau bywyd fel ei gilydd ar lefel folecwlaidd. Perthyn i'r bywyd symlaf a'r mwyaf cymhleth yr un patrymau ar y lefel honno. Y mae'r holl ffurfiau yn gwahaniaethu yn nifer yr elfennau yng nghyfansoddiad gwreiddiol y genynnau ar y cromosomau.

Bellach, rhaid derbyn damcaniaethau'r biolegwyr a'r genetegwyr ynglŷn ag esblygiad bywyd. Wedi'r cyfan, y mae tystiolaeth y neo-Ddarwiniaid yn gryf iawn erbyn heddiw. Nid esblygiad y creadur dynol fel y cyfryw sy'n cael y sylw pennaf bellach ond, yn hytrach, yr ymdrech i ddarganfod ym mha ffyrdd y mae ei esblygiad ef yn gwahaniaethu oddi wrth esblygiad pob math arall ar fywyd. Y mae gwers bwysig i'w dysgu yn y ffaith hon, y ffaith fod dyn yn ymwybodol o'i esblygiad arbennig ei hun, a bod ganddo'r gallu i drafod a cheisio deall a datrys yr hyn ydyw mewn gwirionedd.

Rhaid cofio hefyd fod hanes cofnodol dyn yn bwrw yn ôl i'r cyfnod pan ddatblygodd dyn y gallu i roddi ar gof a chadw arwyddion yn portreadu ei hynt a'i helynt. Ond y mae'r cyfnod hwn yn hanes y ddynoliaeth yn rhyfeddol o fyr, ac efallai wedi ei bwysleisio'n ormodol o'i gymharu a chyfnod ei holl esblygiad. Ymddengys fod astudiaethau ym myd cyfansoddiadau atomaidd a molecwlaidd bodau byw wedi cymell biolegwyr i ddamcaniaethu ynglŷn ag esblygiad o'r dechrau'n deg. Yn awr, a chaniatáu fod y ffin rhwng bodau byw a phethau marw yn anodd iawn i'w ddirnad ar adegau, gellir amseru'n weddol sicr bellach y cyfnodau yr ydym yn eu trafod. Y mae'r cread yn llawer iawn hŷn nag ydyw bywyd ac y mae bywyd yn llawer iawn hŷn nag ydyw dyn. Ffurfiwyd y Ddaear oddeutu pedair mil a saith gant o filiynau o flynyddoedd yn ôl. Ymddangosodd bywyd oddeutu tair mil a dau gant o filiynau o flynyddoedd yn ôl, ond nid oes ond rhyw dair miliwn o flynyddoedd, fwy neu lai, er pan ymddangosodd y creadur dynol. Canlyniad hyn i gyd ydyw fod astudiaethau ynglŷn ag esblygiad yn hanfodol bwysig i ddeall gwir natur y creadur dynol – y creadur hwnnw a ddatblygodd mewn ffordd wahanol i'r ddwy filiwn a mwy o rywogaethau eraill ar y Ddaear. Nodir rhai o'i nodweddion pwysicaf yn frysiog wrth fynd heibio. Y mae dyn yn gwneud celfi ac offer o bob math at ei bwrpas ei hun, a mwy na hynny, yn creu offer peiriannol i wneud celfi. Y mae dyn yn defnyddio iaith gaboledig, gan ffurfio brawddegau a symbolau. Gall dyn resymu a choleddu syniadau haniaethol. Y mae dyn yn greadur hanesyddol a chymdeithasol – gyda diwylliant a thraddodiad yn chwarae rhan bwysig yn ei esblygiad. Perthyn i ddyn agweddau moesol ac esthetig – gall wahaniaethu rhwng da a drwg. Daeth dyn yn ymwybodol o'r sanctaidd, gall grefydda a sychedu am y tragwyddol ac awchu am y goruwchnaturiol.

Yn awr, os esblygodd dyn oddi wrth y creaduriaid is-ddynol, sut y daeth i feddu'r holl nodweddion hyn? Daw teimladau cryf ac emosiynol i'r wyneb wrth i'r genetegwyr drafod dyn fel rhywogaeth fiolegol yn hytrach nag fel canlyniad creadigaeth arbennig. Rhaid edmygu'r credinwyr hynny a gred yn yr hyn a elwir yn aml yn ddogma ffwndamentalaidd. ond bellach y mae pobl o'r fath yn dueddol, a dweud y lleiaf, i droi clust fyddar i astudiaethau biolegol diweddar. Ond os rhywogaeth fiolegol ydyw dyn, ac os y derbynnir y ddamcaniaeth fod y creadur dynol wedi datblygu oddi wrth greaduriaid nad oeddynt yn ddynol i'r graddau y mae dyn bellach yn ddynol, yna rhaid derbyn y gred fod sylfeini biolegol cryf a phendant i'r hyn ydyw dyn yn y gwraidd.

Y mae'r holl beirianwaith genetigol sy'n gysylltiedig a throsglwyddo priodoleddau etifeddol o rieni i epil yn rhyfeddol o gyson ac unffurf. Erys deddfau Mendel yr un mor berthnasol wrth drafod dyn ag wrth drafod unrhyw drychfilyn neu blanhigyn. A chofier hefyd fod tebygrwydd y peirianwaith ar lefel yr unigolyn yn cael ei adlewyrchu ar lefel y boblogaeth hithau. Y mae trawsblygiad, dethol a hybrideiddiad yr un mor bwysig wrth drafod dyn ag wrth drafod yr holl rywogaethau eraill.

Ond wedi dweud hynny, rhaid sylweddoli bod agweddau arbennig ar y patrwm esblygiadol yma ynglŷn â'r hil ddynol. Ac y mae'r agweddau arbennig hyn yn ymwneud â'r gallu a berthyn i ddyn i ddianc oddi wrth gaethiwed amgylchfyd cul, materol a biolegol, i amgylchfyd, ehangach ei derfynau, ac yn ymwneud hefyd ag elfennau cymdeithasol y ddynoliaeth. Ni chredaf ein bod eto wedi sylweddoli'n llawn yr effaith a gafodd y ffactor cymdeithasol ar ddatblygiad yr hil ddynol.

Wedi'r cyfan, yr hyn sy'n bwysig ynglŷn â'r gymdeithas ddynol ydyw'r ffaith fod gan ddyn y gallu i ymaddasu ac i newid. Yr oedd cyfradd y newid yn araf yn oesoedd cynnar y creadur dynol, ond o dipyn i beth fe ddaeth dyn i ymaddasu'n gyflym i wahanol amgylchiadau. Y sawl a lwyddodd orau oedd yr unigolion hynny a ddangosodd y gallu mwyaf i ymaddasu. Dyma yn ôl Dobzhansky (1947), y genetegydd byd enwog, a Montagu (1962), a rydd i ddyn yr arbenigrwydd hynod a berthyn iddo, dyma a'i rhyddhaodd o gaethiwed a gorfodaeth elfennau cwbl fiolegol eu natur. O dipyn i beth, llwyddodd dyn i ddylanwadu ar yr amgylchfyd o'i gwmpas, yn hytrach na bod yr amgylchfyd yn ei reoli ef. Yn hytrach na chael ei ymateb i'r amgylchfyd wedi ei drefnu yn y ffordd draddodiadol enetigol, datblygodd dyn yn rhywogaeth sy'n creu ei ymatebion ei hun. O'r gallu anhygoel, arbennig yma i gynllunio ac i ymaddasu, y genir ei ddiwylliant.

Yn awr nid hawdd yw diffinio'r diwylliant dynol. Y mae Young (1971) yn ei lyfr diweddaraf yn cynnwys yn y syniad agweddau fel gwybodaeth, cred, celfyddyd, moes, iaith, deddf, arferiad, y gallu i ddefnyddio a chreu celfi ac yn wir, unrhyw gyfrwng sy'n gysylltiedig â'r holl ddulliau o fyw, a'r cyfan wedi eu coleddu a'u mabwysiadu gan ddyn fel aelod o'r gymdeithas. Cofier nad ydyw'r priodoleddau hyn yn cael eu trosglwyddo o angenrheidrwydd yn enetigol o genhedlaeth i genhedlaeth fel lliw'r gwallt neu unrhyw ffurf arall ar y patrwm corfforol. Hanfod trosglwyddiad yr elfen ddiwylliannol ydyw efelychiad, hyfforddiant a dysg. Dyma sy'n cyfrif am arbenigrwydd eithriadol a hollbwysig y ddynoliaeth dros y canrifoedd. Datblygodd yr esblygiad biolegol y sylfaen enetigol i ddiwylliant ac o ganlyniad daeth dyn, nid yn unig i greu ei ddiwylliant, ond hefyd i fod yn blentyn ac yn gynnyrch y diwylliant hwnnw. Gyda'r holl rywogaethau eraill, fe geir addasrwydd i'r amgylchfyd ar ddulliau Mendelaidd yn unig, a hynny'n achosi newid yn y cromosomau, ond yn y ddynoliaeth, y pŵer addasol pennaf ydyw yr hyn a olygir wrth 'ddiwylliant', ac y mae perthynas rhwng y briodoledd anhepgor hon â geneteg. Y mae'n eglur felly fod dwy elfen mewn esblygiad dynol, sef y biolegol a'r diwylliannol.

Y mae'r ddwy garfan hon yn dibynnu ac yn cyd-effeithio ar ei gilydd, a throsglwyddir rhai o nodweddion y naill yn ôl i ddylanwadu ar y llall. Un gair o rybudd yma: dadleuir yn aml fod dyn yn osgoi yr holl effeithiau biolegol wedi iddo fabwysiadu ei ddiwylliant. Camddehongliad ydyw gosodiad o'r fath, a hynny oherwydd y ffaith syml fod y gallu i greu ac i drosglwyddo diwylliant wedi bod mor hanfodol i lwyddiant y ddynoliaeth nes bod dewisiad naturiol wedi gweithio nid yn unig i ddiogelu, ond hefyd i feithrin, y gallu arbennig yma. Yn ôl rhai o fiolegwyr ein cyfnod, ni rydd unrhyw broblem fwy o her ac o sialens i enetegwyr na'r broblem o geisio deall effeithiau yr esblygiadau biolegol a diwylliannol ar ei gilydd.

Canlyniad hyn i gyd oedd i ddyn, wrth esblygu, esgor ar lawer iawn o briodoleddau pwysig; priodoleddau sydd bellach yn gosod y ddynoliaeth yn hollol ar ei phen ei hun ymysg holl rywogaethau'r ddaear. A chyda llaw, nid oedd yn fwriad gan Darwin, yn ei astudiaethau ganrif a mwy yn ôl, i bortreadu dyn yn yr ystyr yma. Ei fwriad, yn hytrach, oedd ceisio dangos bod yr holl nodweddion sy'n gysylltiedig â'r arbenigrwydd dynol i'w rhagweld yn ymarweddiad y creaduriaid is-ddynol, ond ar raddfa lawer llai wrth gwrs. Trwy hynny, ceisiodd Darwin ddangos bod esblygiad y ddynoliaeth yn gysylltiedig neu'n cydredeg a rhywogaethau eraill. Yn wir, anaml iawn y mae Darwin yn cyfeirio at y ffaith fod dyn yn greadur a chanddo ddiwylliant, a bod diwylliant fel y cyfryw yn chwarae rhan bwysig yn ei esblygiad. Erbyn heddiw, y mae'r neo-Ddarwiniaid wedi gwneud astudiaethau manwl iawn o'r priodoleddau hynny sy'n nodweddiadol ddynol, a cheisio dadansoddi, o ganlyniad, ym mha ffordd y daeth y nodweddion hyn i'r amlwg. Ymysg y nodweddion hyn, ac y mae llawer ohonynt, erys dau ar y blaen – y gallu a ddaeth i ddyn i ddefnyddio ac i ffurfio celfi neu offer syml at ei bwrpas ei hun, a, hefyd, y gallu i ynganu ac i frawddegu syniadau a meddyliau. Cred llawer fod esblygiad biolegol y creadur dynol i'w briodoli i raddau pell i'r ddau allu yma, a'r naill fel y llall yn addasiad ar gyfer amgylchiadau arbennig ei esblygiad, ac o ganlyniad wedi eu rheoli gan ddewisiad naturiol.

Dywed Oakley (1962), yn ei draethawd enwog ar y testun yma, fod y rhywogaeth ddynol wedi dod i'w hoed pan ddysgodd y creadur dynol ddefnyddio, ac yn fwy arbennig greu celfi syml at ei bwrpas. Y mae Oakley o'r farn fod y gallu i wneud rhyw fath o declyn yn llawer mwy arwyddocaol yn natblygiad y ddynoliaeth na'r gallu i'w ddefnyddio'n unig. Y mae creu teclyn yn golygu bod yna bwrpas i'r creu, oblegid dyma weithred wedi ei chysylltu â rhagwelediad i'r dyfodol. Er hynny, nid ydyw'r defnydd a wneir o gelfi, neu yn wir y gallu i'w creu, yn gwbl gyfyngedig i'r rhywogaeth ddynol. Y mae amryw o enghreifftiau ym myd y creaduriaid is-ddynol o ddefnyddio rhyw declyn a oedd yn digwydd bod yn ymyl.

Y mae ffaith ddiddorol arall i'w nodi yma – mai yn araf iawn y datblygodd y math o gelfi a ddefnyddiwyd hyd at ryw hanner can mil o flynyddoedd yn ôl. Ond yn fuan wedyn, bu cyflymdra eithriadol yng nghyfradd esblygiad offer, ac erbyn rhyw ddeg neu ddeuddeng mil o flynyddoedd yn ôl, cafwyd arwyddion o amaethu ac o drin y tir, y weithred a roddodd ddechreuad i'r cyfnod presennol yn hanes y ddynoliaeth.

Credaf ei bod yn arwyddocaol iawn mai yn y cyfnod yma (rhyw hanner can mil i ddeng mil ar hugain o flynyddoedd yn ôl), y daeth iaith yn yr ystyr yr adnabyddir hi heddiw i'w grym. Y mae'n amlwg fod rhywbeth symlach yn bod eisoes, ond y mae cryn dipyn o gytundeb bellach fod iaith fel yr adwaenwn hi heddiw gyda'i haddasiad eithriadol ar gyfer mynegiant, wedi esblygu'n gymharol ddiweddar.

Y mae iaith yn wahanol yn ei hanfod i bob math arall o gyfathrebu. Yn ôl Dobzhansky (1973), y creadur dynol yn unig a ddatblygodd y gallu i enwi, i drafod yn haniaethol, i ddefnyddio symbolau, i ffurfio brawddegau, i fynegi meddyliau, ac i ddywedyd rhywbeth y gall ef ei hun ei ddeall wedi i rywun arall ei ddywedyd. O gymryd yr holl agweddau hyn gyda'i gilydd, dyma diriogaeth sy'n gwbl ddynol yn ei hanfod a'i chanlyniadau. Barn Rensch (1972), y genetegydd o'r Almaen, ydyw fod y traddodiad ieithyddol yn fwy nodweddiadol o'r creadur dynol na'r gallu i ddefnyddio a chreu celfi. Ond, os meddyliwch chwi am y gwahaniaeth rhwng offer syml Oes y Cerrig a chyfrifiadur electronaidd ein cyfnod ni, rhydd hynny syniad go dda o ddatblygiad medr biolegol y rhywogaeth ddynol ym myd celfi, hwythau.

Beth bynnag am hynny, cytunir bellach fod yr elfen lafarol wedi bod yn hanfodol bwysig yn esblygiad diwylliant dyn – oblegid dyma un o'r ffynonellau, ac efallai'r ffynhonnell bwysicaf, a roddodd fod i'r elfennau cymdeithasol mewn dyn. Wrth gwrs y mae nodweddion biolegol pwysig eraill yn gysylltiedig â hyn, megis y newid o'r bywyd helwriaethol i'r un amaethyddol. Barn Oakley yw mai rhyw fath o ystumiau â'r breichiau a'r dwylaw oedd y dulliau cyntaf o gyfathrebu (ac ni chollwyd yr arferiad yma'n llwyr hyd yn oed yn ein dyddiau ni). Ond o ddefnyddio'r dwylaw i wneud a thrin celfi, datblygwyd dulliau mwy pendant fel llafar ac iaith i fynegi'r elfen gymdeithasol. Ac y mae'n amlwg fod yr angen am ddethol wedi dylanwadu yn gryf iawn ar yr esblygiad arbennig yma.

Nodwedd fiolegol arall sy'n gysylltiedig â'r datblygiad ieithyddol yw'r cynnydd a ddigwyddodd yn yr un cyfnod, fwy neu lai, ym maint yr ymennydd dynol. Y mae'n eglur mai'r rhannau hynny o'r ymennydd a gynyddodd yn y cyfnod yma yw'r rheini sy'n ymwneud â iaith, cof a rhagwelediad. Y mae gan Millar (1972) o Brifysgol Rockefeller sylwadau treiddgar i'w gwneud yn y cyswllt hwn. Priodolir y cynnydd ym maint yr ymennydd i effaith cryf yr angen am ddethol a grewyd gan y rheidrwydd i gofio, ac yn arbennig felly i gofio y symbolau a gynhyrchir gan iaith. Y mae hyn yn awgrymu bod lleferydd a'r gallu i ynganu wedi rhagflaenu'r cynnydd ym maint yr ymennydd, ond anodd ydyw amseru'n fanwl y nodweddion pwysig hyn a dirnad effaith y naill ar y llall. Yn fiolegol, y tebygolrwydd ydyw fod y cyfan yn dylanwadu ar ei gilydd a bod y naill yn effeithio'n barhaus ar y llall.

Ni chredaf fod amheuaeth bellach, ym marn genetegwyr ein cyfnod, fod y galluoedd i fabwysiadu a defnyddio iaith wedi eu plannu'n ddwfn iawn yng nghyfansoddiad yr hil ddynol. A chofier, nad gallu ydyw ar gyfer rhyw iaith arbennig; nid oes genynnau ar ein cromosomau ni wedi eu harbenigo, er enghraifft ar gyfer y Gymraeg. Y mae dyn wedi ei gynysgaeddu â'r gallu biolegol arbennig i fabwysiadu a defnyddio iaith, a chafodd hyn effaith hanfodol ar ein hesblygiad. Daeth arwyddocâd y gallu hwn i'r amlwg mewn erthygl gan Kalata (1974) lle yr awgryma fod yr hil Neanderthal, a ddiflannodd ryw ddeugain mil o flynyddoedd yn ôl, wedi cyrraedd ei diwedd tyngedfennol am nad oedd ganddi y priodoleddau yn y larynes i ynganu'r llafariaid hynny a oedd yn angenrheidiol i ddatblygu'r cymhlethdod sy'n gysylltiedig â iaith lafar.

Go brin fod gwybodaeth bendant a chlir ynglŷn â sut y daeth ein hynafiaid i ddechrau siarad, ond gwyddys fod y gallu yn dibynnu ar nodweddion ffisegol a chemegol y system nerfaidd – ac ymddengys i'r rheini esblygu drwy ddetholiad naturiol yn raddol, o greaduriaid nad oedd y gallu i lefaru ganddynt. Erbyn heddiw, daeth iaith i olygu rhywbeth llawer mwy na mynegiant a math o gyfathrebu moel. Bellach daeth yn gyfrwng ym myd y meddwl, ym myd y cof, ym myd yr hunan ac ym myd crefydd.

Credaf i ganlyniadau tyngedfennol ddod yn sgîl y datblygiadau hyn; daeth dyn i fabwysiadu gallu i edrych arno'i hun, ac i fyfyrio ar ei bersonoliaeth; ceisiodd ddeall a dirnad y berthynas rhwng proses a digwyddiad, daeth i sylweddoli canlyniadau ei weithgareddau, i gofio'r gorffennol ac i boeni am y dyfodol – ac i ryfeddu at y math o greadur y gall fod. Mewn geiriau eraill, datblygodd dyn hunan-ymwybyddiaeth. Yn awr, y mae perthynas agos rhwng hunan-ymwybyddiaeth a'r gallu i ffurfio ac i goleddu syniadau haniaethol, a symbolau o bob math. Yn wir maent yn ganolog ym myd cymdeithasol a chrefyddol dyn. Yn ôl Dobzhansky (1969), y mae sylfaen fiolegol i hunan-ymwybyddiaeth – fe'i cymhellwyd gan ddetholiad naturiol oherwydd ei fod yn un o'r sylfeini pwysicaf yn natblygiad diwylliant, ac y mae a wnelo'r datblygiad hwn yn y ddynoliaeth â datblygiad yr ymwybod crefyddol.

I gwblhau'r darlun, rhaid ychwanegu agwedd arall, oblegid yn sgîl datblygiad yr hunan-ymwybyddiaeth hon cynyddodd yr ymdeimlad o boen, o bryder ac o afiechyd. Wrth i ddyn fyfyrio amdano'i hun a cheisio rhagweld y dyfodol, daeth i sylweddoli beth oedd ei dynged. Yn myd yr anifeiliaid, y mae i ofn werth parhaol arbennig, gan ei fod yn ysgogi anifeiliaid i ymgadw rhag niwed, eithr cyrhaeddodd ofn lefel wahanol iawn yn esblygiad y bod dynol. Oherwydd hunan-ymwybyddiaeth dyn, rhoddwyd dimensiwn arbennig i ofn – daeth dyn yn ymwybodol o farwolaeth. A dyfynnu, '*A being who knows that he will die arose from ancestors who did not*' (Dobzhansky. 1969). Credaf mai'r hyn a greodd bwrpas a swyddogaeth gymhwysol crefydd oedd fod yn rhaid i ddyn, pan ddatblygodd ei hunan-ymwybyddiaeth, ei addasu ei hun ar gyfer wynebu marwolaeth. Un o brif nodweddion holl grefyddau'r byd yw eu bod yn rhoddi gobaith o fywyd tu draw i'r bedd, ac mae'r ffaith eu bod i gyd wedi datblygu mewn ffordd gyffelyb, yn dangos i mi chwant sylfaenol dyn am y gobaith hwn. Anhepgor, wrth gwrs, ydyw'r angen am barhad bodolaeth. Mewn geiriau eraill, fel rhan o esblygiad dyn, daeth marwolaeth yn realiti, ond oherwydd datblygiad y gallu i fod yn ymwybodol, gyda'i ddychymyg, ei allu delweddol, athronyddol a meddyliol, daeth dyn yn berchen ar syniadau a fu'n gyfrwng i'w ddyrchafu ymhell tu draw i'w dynged naturiol a biolegol. Canlyniad hyn oedd i ddyn ddyfod yn raddol i gredu bod bodolaeth yn rhan o ryw arfaeth neu gynllun oedd i fythol barhau. Credaf fod hyn wedi bod yn bwysig iawn yn esblygiad y ddynoliaeth, a bu i grefydd wneud ei rhan. Ond fe ellir dadlau, a dadlau yn gryf iawn bellach, fod trai a dirywiad crefydd heddiw i'w cysylltu â'r ffaith fod ei phwrpas cynhenid wedi ei ddiwallu yn y ddynoliaeth.

Agwedd arall ar yr un thema, fel y'n hatgoffid ni gan Thorpe (1974), Spilsbury (1974) a Dobzhansky (1969) ydyw mai un o'r ymarweddiadau dynol mwyaf cyffredin ydyw'r ddefod o gladdu'r marw. Y mae'r weithred hon yn gwbl gyfyngedig i gymdeithas dyn ac yn gyffredin drwy'r gymdeithas honno. A mwy na hynny, y mae'r weithred yn mynd yn ôl ymhell iawn yn ein hanes fel dynoliaeth. Dywed Thorpe fod rhyw fath o ddefod mewn bodolaeth o leiaf saith gan mil o flynyddoedd yn ôl. Paham y gofal yma dros y marw? Yr eglurhad sy'n cynnig ei hun ydyw mai dyn, a dyn yn unig, a ddaeth i sylweddoli bod marwolaeth yn anochel.

Anodd iawn ydyw sylweddoli'n llawn yr effaith a gafodd realiti marwolaeth ar y creaduriaid hynny a ddaeth yn araf ond yn sicr ddigon i'w dirnad. Ond yr oedd y canlyniadau'n aruthrol. A dyfynnu Tillich, *'Man acquired the ultimate concern, a concern which qualifies all other concerns as preliminary, and which itself contains the answer to the question of the meaning of life.'*

Ymddengys agwedd ddiddorol arall yn y cyswllt hwn. Yn draddodiadol, cysylltir yr agweddau crefyddol a rydd wir ystyr i fywyd gydag anfarwoldeb a'r tragwyddol. Nodweddir bywyd pob unigolyn ar y ddaear gan ddechrau a chan ddiwedd, ond fel y dywed Spilsbury (1974), er nad ydyw dechreuad bywyd wedi effeithio ar y gwerth tragwyddol a roddir arno, eto mae diwedd bywyd ar y ddaear wedi cael effaith syfrdanol, fel y ceisiwyd dangos.

Efallai y cred rhai fod yr astudiaethau hyn, a llawer eraill o ran hynny, tu draw i diriogaeth y gwyddonydd a'r biolegwr, ond ni thybiaf fod hyn yn deg â'r biolegwr, nac ychwaith yn wir. Oblegid ni ellir dirnad na thrafod yr agweddau hyn sy'n rhoi ystyr i fywyd heb eu cysylltu â dyn; nid oes neb am awgrymu, er enghraifft, y gellir deall ffynhonnell a natur diwylliant heb astudio'r creadur dynol. Ac os felly, rhaid cymryd i ystyriaeth natur fiolegol y creadur hwnnw, oblegid ni ddywed neb fod yr agweddau biolegol wedi eu disodli a'u dileu.

Erbyn heddiw, y mae cynnyrch a chyrhaeddiadau'r creadur dynol i'w cymharu â'r hyn a gysylltodd ein teidiau ni â'r goruwchnaturiol. Mae sylweddoliad o'r fath yn dal i achosi dipyn o anesmwythyd i rai, ond y mae llawer o wirionedd ynddo serch hynny. Daeth trai ar grefydd draddodiadol – yr oedd crefydd i raddau yn ymgais i orchfygu llawer o ofnau a bygythion y dyn cynnar wrth i'r hunan-ymwybyddiaeth gynyddu. Bellach daeth y canllawiau traddodiadol yn llai angenrheidiol.

Ond a derbyn hynny, gellir dadlau bod angen rhyw ddimensiwn crefyddol, rhyw gred, rhyw obaith i fywyd o hyd i roddi pwrpas ac ystyr i fodolaeth. Toynbee (1956) sy'n dweud, *'The great religions are the foundations on which the great civilisations rest.'* Boed hynny fel y bo, y mae un peth yn sicr – y mae'n rhaid i'r dimensiwn, boed grefyddol neu beidio, fod yn unol a chyrhaeddiadau gwyddonol ein cyfnod. Ni chredaf y gall crefydd o unrhyw fath sy'n gwrthdaro yn erbyn y cyraeddiadau hyn fyth ddiwallu anghenion dyfnaf y ddynoliaeth bellach. Yn hyn o beth, ni olygir i gredo fod yn gwbl gyfyngedig i wyddor, ond er hynny dylai gydsynio â damcaniaethau sylfaenol datblygiad dyn.

Y mae pob math o fywyd, gan gynnwys dyn, yn ymateb i sialens yr amgylchfyd, ac y mae'r ymateb wedi ei gyfryngu drwy ddetholiad naturiol. Nid oes lle i gredu o gwbl fod yr addasiad a'r frwydr wedi eu rhagfynegi, neu eu bod yn yr arfaeth ac yn rhan o ryw bwrpas holl-gynhwysfawr. Yn aml, y mae'r frwydr yn llwyddiant ond nid bob amser, a dyna'r paradocs. Gall newidiadau fod yn briodol dros dro, ond ar y llaw arall gallant rwystro unigolyn rhag ymateb i newidiadau ychwanegol, ac y mae hyn yn arwain i ddifodiant (Dobzhansky, 1958). A'i roi mewn ffordd arall, y mae'r unigolyn fel pe bai'n ymchwilio'n barhaus am ffyrdd i wella ac i gryfhau ei afael ar yr amgylchfyd. Gall ddarganfod llwybr newydd a mantcisiol, ond fe all fethu yn yr ymdrech, a threngi o ganlyniad. Ond hyd yn oed os ydyw'r frwydr yn llwyddiannus nid ydyw hynny, fel y dywed Dobzhansky (1969) yn dwyshau'r gred fod rhyw fath o allu goruwchnaturiol yn rheoli'r cyfan. Gan fod cymaint o wastraff, o galedi, o adfyd ac o drallodion, ac i goroni'r cyfan, marwolaeth, yn gysylltiedig â'r holl broses o fyw, nid hawdd bellach ydyw priodoli'r cyfan i Dduw cariad sydd hyd yn oed 'drwy ddirgel ffyrdd yn dwyn ei waith i ben'. Beth felly am y dyfodol? Credaf fod damcaniaethau esblygiadol wedi ychwanegu at y cyfrifoldeb sy'n gorffwys ar ysgwyddau'r ddynoliaeth, cyfrifoldeb sy'n cynyddu o gyfnod i gyfnod. Efallai bod rhai o'r hen ganllawiau bellach yn anaddas i'n harwain i'r dyfodol, yn sicr fe siglwyd rhai i'w sylfeini, a dymchwel eraill. Ymddengys y bydd galw cyn bo hir ar i'r ddynoliaeth wneud penderfyniadau tyngedfennol ynglŷn â'i dyfodol. Tybed ai yr unig ganllawiau ar ein cyfer fydd y canllawiau gwyddonol a biolegol, annigonol fel ag y maent, lawer ohonynt? Neu a welwn ni agweddau ar ein crefydd draddodiadol yn esblygu i gydredeg â'r canllawiau hynny, a rhoddi i'r ddynoliaeth yr hyder a'r gobaith uchaf fel y bo i'r hil ddynol a'r cread fyned rhagddynt i gyrraedd eu gwynfyd?

Y Gwyddonydd 'Y Creu' 1978

CYFEIRIADAU

Dobzhansky, Th. a Montagu, M. F. A. (1947), Natural selection of the mental capacities of Mankind. *Science*, 105, 587-90.

Dobzhansky, Th. (1958), Evolution at Work. *Science,* 127, 1091-8.

Dobzhansky, Th. (1969), The Biology of Ultimate Concern. Rapp a Whiting, Llundain.

Dobzhansky, Th. (1973), On the Evolutionary Uniqueness of Man. *Evolutionary Biology*, 6, 415-30.

Kalata, G. B. (1974), The Demise of the Neanderthals – was language a factor? *Science*, 186, 618-9.

Millar, G. A. (1972), yn Biology and the Human Species. Golygwyd gan J. W. S. Pringle. Gwasg Clarendon, Rhydychen.

Montagu. M. F. A. (1962), Culture and the evolution of man. Gwasg Prifysgol Rhydychen.

Oakley, K. P. (1962), yn Culture and the Evolution of Man. Golygwyd gan Montagu, M. F. A. Gwasg Prifysgol Rhydychen.

Rensch, B. (1972), Homo sapiens: From man to Demigod. Methuen, Llundain.

Spilsbury, R. (1974), Providence Lost. A Critique of Darwinism. Gwasg Prifysgol Rhydychen.

Thorpe. W. H. (1974), Animal Nature and Human Nature. Methuen, Llundain.

Toynbee, A. (1956), An Historian's approach to Religion. Gwasg Prifysgol Rhydychen.

Young, J. Z. (1971), An introduction to the study of man. Gwasg Clarendon, Rhydychen.

MYFYRDODAU WEDI'R SEIAT

Yn ystod y gaeaf eleni, trefnodd Gweinidog eglwys Twrgwyn gyfres o seiadau yn dwyn y teitl 'Gofyn i'r Iesu'. Wedi i'r agorwr arwain meddyliau'r seiadwyr, ceir trafodaeth rydd a bywiog yn aml, ond heb ddyfod i unrhyw benderfyniad o angenrheidrwydd ynglŷn â'r testun. Nid yw hynny yn bychanu gwerth trafodaeth o'r fath.

Yn ddiweddar, bu cryn fynegi barn ar un o'r cwestiynau mwyaf tyngedfennol a ofynnwyd i'r Iesu. Y llywodraethwr a ofynnodd, 'Wrth wneuthur pa beth yr etifeddaf fi fywyd tragwyddol?' Colli'r dydd fu ei dynged o glywed atebiad yr Iesu ac aeth i ffwrdd 'yn athrist: canys yr oedd efe yn gyfoethog iawn'. Tybed a oedd ym mwriad y llywodraethwr y gallasai brynu bywyd tragwyddol a chysylltu ei lwyddiant bydol a duwioldeb? Wedi'r seiat, fe'm hysgogwyd i feddwl cryn dipyn ymhellach na therfynau'r orig fechan. Efallai y dylem fel aelodau'r seiat efelychu rhyw gymaint o brofiad mawr Blake pan ganodd 'hold infinity in the palm of your hand and eternity in an hour'. Serch hynny, erys myfyrdodau ac y mae meddyliau yn cronni.

Beth oedd ym meddwl y dyn cyfoethog hwn wrth geisio etifeddu bywyd tragwyddol? Hawdd gennyf gredu iddo glywed yr Iesu yn sôn am ddyfodiad y Deyrnas. Efallai iddo geisio dehongli rhai o ddamhegion y Gwaredwr ynglŷn â'r Deyrnas. Daw hyn â ni wyneb yn wyneb â bwriad yr Iesu wrth iddo sôn am sefydlu ei drefn newydd – teyrnas nefoedd; teyrnas Dduw; bywyd tragwyddol. A oes gwahaniaeth sylfaenol rhwng y termau hyn yn nysgeidiaeth yr Iesu?

Nid diwinydd mohonof, ond serch hynny mynnaf gredu y newidia teithi meddwl hyd yn oed ysgolheigion Cristnogol a bod gwahaniaeth barn rhyngddynt. Yr ydym yn byw mewn oes pan fo rhai o'r hen ganllawiau yn siglo os nad yn diflannu'n llwyr. Beth a erys? Un o egwyddorion sylfaenol dysgeidiaeth yr Iesu oedd agosrwydd dyfodiad ei Deyrnas. Cafodd y weledigaeth ei fod yn fab Duw ac y byddai pawb o'i dderbyn a'i ddilyn yn ymgyrraedd at fod yn blant i Dduw ac yn aelodau o'r Deyrnas.

Os felly, dimensiwn ar gyfer y bywyd presennol oedd ym meddwl yr Iesu wrth sôn am ddyfodiad y Deyrnas. Ond beth am y bywyd tragwyddol? — bywyd i oroesi bedd a'r gred a roddodd gysur digymar i gredinwyr dros y canrifoedd? Daw'r gred mewn tragwyddoldeb â ni wyneb yn wyneb â rhai o egwyddorion mwyaf sylfaenol crefydd. Daeth dyn yn berchennog ar ddimensiwn yr annirnadwy a'r diderfyn. Sut, tybed, y daeth i goleddu syniadau mor anfeidrol? Yr hyn sy'n rhyfedd ydyw fod i syniadau o'r fath darddiad esblygiadol.

Nid oes amheuaeth bellach fod dyn wedi esblygu oddi wrth greaduriaid nad oeddynt yn ddynion. Diddorol ydyw nodi yma fod llawer, hyd yn oed heddiw, yn gwrthod y ddamcaniaeth hon, a hynny ar sail ffydd grefyddol. Iddynt hwy, y mae'r Beibl yn cynrychioli gair Duw, – dylid ei ddehongli'n llythrennol a derbyn ei awdurdod yn ffyddiog. Perchir eu daliadau, – ac onid ydyw'r Creadigaethwyr hwythau ar gynnydd drwy'r gwledydd? Ond o dderbyn y ddamcaniaeth esblygiadol, o ble y daeth y syniad o fywyd tragwyddol a'r gobaith a'r cysur a ddaeth wrth gredu nad y bedd yw pen y daith? Nid oes ateb clir o bell ffordd, ond y mae'n sicr fod a wnelo'r datguddiad â'r ymwybyddiaeth o farwolaeth a ddaeth yn rhan annatod o feddwl a bywyd y creadur dynol gyda threiglad yr amseroedd. Anodd ydyw dirnad sut y gall dyn goleddu'r syniad o fywyd tragwyddol heb yr ymwybyddiaeth hon. Cais ydyw'r naill i gyd-fyw ac i oroesi'r llall. Cyfyd yr ymwybyddiaeth hon o'r ffaith fod dyn yn ymwybodol ohono ei hun, a mwy na hynny, ei fod yn gwybod bod eraill yn ymwybodol o'i ymwybyddiaeth ef. Dyma un o gamau mwyaf breision a phwysig yr hil ddynol. O dderbyn hyn, y mae'n dilyn i ddyn ddatblygu'r gallu i feddwl yn fewnblyg a myfyrio ynglŷn â'r dyfodol gan geisio dyfod i'r afael â'r aflwydd o farwolaeth. Nid oes amheuaeth i hyn ddylanwadu yn gryf iawn ar yr agweddau crefyddol o'i natur. Yn wir, y mae lle i gredu bod ffynonellau crefyddol yr hil ddynol i'w priodoli iddynt. Arswydus ydyw ceisio dyfalu beth fyddai agweddau mawr holl grefyddau'r byd heddiw heb y ddau ymwybod hyn.

Fel y dywedwyd eisoes, bwriad yr Iesu oedd sefydlu ei Deyrnas ar y ddaear ac argyhoeddi ei ddilynwyr o'r gwir ddiddanwch sydd o fewn cyrraedd dyn o'i derbyn. Daw hyn i'r amlwg yn eglur ddigon wrth fyfyrio ar ddamhegion y Deyrnas. Meddai'r Iesu – cyffelyb ydyw i drysor a guddiwyd yn y maes ac 'wedi i ddyn ei gaffael, a'i cuddiodd, ac o lawenydd amdano sydd yn myned ymaith, ac yn gwerthu yr hyn oll a fedd ac yn prynu y maes hwnnw'. A'r marchnatawr, o weled yr un perl gwerthfawr 'a aeth allan ac a werthodd gymaint oll ag a feddai ac a'i prynodd ef'. I'm tyb i, nid oes a wnelo'r ddwy ddameg yma ddim a'r byd a ddaw. O'i gymharu â'r Deyrnas, ychydig o sylw a gaiff y bywyd tragwyddol yn nysgeidiaeth yr Iesu er i'r elfen eschatolegol ymddangos yn aml yn ei ddywediadau. Diflannodd yr elfen hon o ddysgeidiaeth yr Eglwys i raddau pell iawn. Serch hynny, erys y gobaith o wireddu gweledigaeth yr Iesu ynglŷn â'r Deyrnas. Ond beth am eiriau'r Iesu yn sôn am fyned i baratoi lle i'w ddilynwyr? Pa sawl gwaith, yn gamarweiniol i'm tyb i, y clywsom ddarllen yr adnodau hyn mewn angladdau a'u cyplysu â'r bywyd y tu draw i'r bedd? 'Ac os myfi a af ... mi a ddeuaf drachefn ac a'ch cymeraf chi ataf fy hun'. Cymerodd yr Iesu yn ganiataol fod ei ddisgyblion yn gwybod am yr ail-ddyfodiad ond ni ddeallodd Thomas y gyfrinach, 'ni wyddom ni i ba le yr wyt ti yn myned, a pha fodd y gallwn wybod y ffordd?' Etyb yr Iesu, – 'Myfi yw y ffordd, y gwirionedd a'r bywyd'. Nid oes yn y geiriau hyn gyfeiriad at fywyd tragwyddol tu draw i'r bedd. Yn hytrach, onid oes yma fwy nag awgrym fod yr Iesu yn paratoi ei ddilynwyr i etifeddu'r Deyrnas oedd ar ddyfod?

I'm tyb i, trasedi fawr datblygiad y ffydd Gristnogol yn nwylo ei dilynwyr drwy y canrifoedd, ydyw cysylltu teyrnasiad yr Iesu â bywyd y tu draw i'r bedd. Ein braint fel Cristnogion ydyw dyfod i adnabyddiaeth o wir ddiddanwch, llawenydd a sialens ein ffydd, ac aeddfedu i fod yn deilyngach aelodau o'i Deyrnas Ef yn y byd sydd ohoni heddiw.

Y Goleuad, 1984

Y MEDDWL BIOLEGOL A'I GANLYNIADAU

Ar ôl blynyddoedd lawer o ddatblygiadau biolegol, gellir dadlau'n gryf nad ydyw crefyddwyr wedi sylweddoli o bell ffordd effaith hyn i gyd ar ein dulliau o fyw, ein credo a'n crefydd yn gyffredinol. Newidiodd ymddygiad holl wareiddiad y gorllewin yn syfrdanol tuag at grefydd, a chred rhai bellach fod ein traddodiad crefyddol a'n gwareiddiad Cristnogol yn prysur ddiflannu.

Dyma rai o'r cyraeddiadau gwyddonol sydd wedi cael cymaint o effaith ar ddatblygiad y ddynoliaeth yn ystod y ganrif. Gwelwyd cynnydd eithriadol ym mhoblogaeth y byd ac oni bai am y camau a welwyd ym myd y gwyddorau amaethyddol i berffeithio dulliau newydd a chwyldroadol i gynhyrchu bwyd, fe fyddai miliynau o bobl drwy'r byd wedi marw o newyn. Enghraifft arall ydyw llwyddiant anhygoel meddygaeth. Dyma gyfuniad ardderchog o ddwy gangen fawr o wyddoniaeth – meddygaeth yn dileu afiechydon cynhenid y brodorion ar un llaw, ac ar y llall y gwyddorau biocemegol yn gweddnewid eu safonau byw a'u lluniaeth. Yn groes i hyn, cred eraill fod y gwyddorau biolegol wrth wraidd rhai o broblemau mwyaf dyrys y ddynoliaeth – y cynnydd aruthrol yn y boblogaeth, y difwyno dibendraw ar yr amgylchfyd, a'r mwyaf brawychus o'r cyfan, bygythiad rhyfel niwclear dros gyfandiroedd.

ADDASU A BYW

Enghreifftiau yw y rhain o'r defnydd a wneir o'r pwerau gwyddonol, ond daeth canlyniadau mwy dylanwadol fyth. Bellach daethpwyd i amgyffred o ddifrif wir natur holl Natur o'n cwmpas. Meddylier, ar un llaw, am goncro'r gofod ac anfon lloerennau i bellafoedd y bydysawd, ac ar y llaw arall, dyfod i ddeall ac i werthfawrogi arwyddocâd rhai o gyfrinachau mwyaf dyrys a sylfaenol y gell fyw a'i holl ddirgelion etifeddol, y cyfrinachau a briodolwyd gan ein tadau i Dduw. Ac y mae'r cyfrinachau hyn i gyd o'r un gwead yn union yn y trychfilyn lleiaf ar y naill law ac mewn dyn ar y llall. Amlygir yr unoliaeth honno sydd mor nodweddiadol o fywyd yn ei amryfal ffyrdd. Ond cofier hefyd fod i bob bywyd ei amrywiaeth ddi-ben-draw, ac er bod unoliaeth o fewn y gell, y mae bywyd pob unigolyn yn unigryw ac yn newid, a hynny er gwell neu er gwaeth. Dyma sy'n cyfrif fod i bob rhywogaeth y gallu i addasu ar gyfer *niche* arbennig yn y cread. Os nad oes addasiad, anodd ydyw bodoli o gwbl. Dyma hefyd sydd wrth wraidd yr hyn a eilw'r biolegwyr yn ddewisiad naturiol, ac y mae'r dystiolaeth ffeithiol i'r ddamcaniaeth hon wedi cynyddu'n eithriadol yn ddiweddar. Hyd y gwelaf, ymatebiad crefyddwyr a'r eglwys yn gyffredinol i hyn oll ydyw fod llaw gwarcheidiol Duw yn rheoli'r ffyrdd o addasiad a bod yr holl greadigaeth o'r herwydd dan ei lywodraeth Ef. Anodd ydyw i fiolegwyr dderbyn gosodiad o'r fath. Nid oes prawf o gwbl fod i esblygiad lwybr penodedig yn dangos patrwm rhagluniaethol a gwarchodaeth Duw.

Nodwyd eisoes fod popeth byw yn newid. Dyma un o briodoleddau mawr bywyd. Newid ydyw hanes pawb ond, fel crefyddwyr, nid ydym wedi dygymod â'r syniad. Y mae cyfnewidiadau bywyd wedi peri llawer o boen i grefyddwyr dros y blynyddoedd. O ganlyniad yr ydym wedi derbyn sicrwydd, cysur a chalondid mawr o'r syniad fod Duw yn anghyfnewidiol ac yn goruwchlywodraethu. Daw hyn â ni wyneb yn wyneb â'r syniad mai hap a damwain ydyw conglfaen esblygiad bywyd ac eithrio fod y cyfan wedi ei gyflyru gan ddewisiad naturiol. Dyma gasgliad Jacques Monod yn ei lyfr *Chance and Necessity*. Meddai, 'Man knows at last that he is alone in the universe's unfeeling immensity out of which he emerged only by chance'. A fu damcaniaeth erioed a danseiliodd yn fwy pendant y syniad o Dduw yn rheoli'r cread?

Cam bychan oddi wrth hyn ydyw'r frwydr ymysg athronwyr a biolegwyr rhwng rhydwythiad a bywydaeth. Nid oes ofod yma i ymhelaethu, ond try'r ddadl o amgylch y ddamcaniaeth y gellir egluro holl ffenomenau byw yn nhermau ffiseg a chemeg. A ydyw hanfodion a phrosesau ffisegol/gemegol yn gwbl ddigonol i egluro bywyd yn ei gyfanrwydd? Cyfeiriodd y diweddar Harri Williams yn fyr at hyn yn ei gyfrol *Duw, Daeareg a Darwin*. Meddai am rydwythiad, 'Gellir egluro'r uwch yn gyfan gwbl yn nhermau'r is'. Gwrthod y ddamcaniaeth yma a wnaiff, a hynny oherwydd nad oes gydnabyddiaeth fod bwriad y tu ôl i'r creu a meddwl yn ei gynllunio. Ond anodd ydyw i fiolegwyr dderbyn hyn oll fel y nodwyd eisoes.

Y DIGYFNEWID

Beth felly ydyw effaith a chanlyniadau y meddwl a'r agwedd wyddonol sydd wedi ymdreiddio i mewn i'n bywyd a hynny efallai yn hollol ddiarwybod i lawer ohonom fel crefyddwyr y dyddiau hyn? Bu cyfnod pan oedd diwinyddiaeth ar y brig yn ein gwlad. Dyma frenhines y gwyddorau yn yr Oesoedd Canol. Bellach daeth y gwyddorau biolegol i arwain ymysg yr allweddau hanfodol i geisio deall bywyd a'i amryfal briodoleddau. Yr ydym yn byw mewn oes resymegol, ac y mae dyn yn awyddus i ddeall pethau. Un o ragorfreintiau mawr gwyddonwyr biolegol ydyw credu y gall yr hyn sy'n ffeithiol gywir heddiw beidio a bod felly yfory. Gall sylwadaeth newydd ddatgelu ffeithiau sy'n gwbl glir heddiw mewn goleuni hollol newydd yfory. Ac y mae hyn yn gofyn am ailddehongli parhaus. O ganlyniad, y mae'r byd gwyddonol yn dueddol i fod yn elyniaethus i gredo crefyddol sylfaenol am y rheswm fod y gredo honno yn ymddangos yn ddigyfnewid. Ac wrth i wyddor ddadansoddi ac egluro dirgelion y cread, y duedd o hyd ydyw gwthio Duw i'r gorwelion pell. Hefyd, fe ddiorseddwyd y syniad fod dyn wedi ei greu ar lun a delw Duw. A mwy na hynny, nid oes unrhyw dystiolaeth wyddonol yn cadarnhau'r syniad bod dyn fel y cyfryw wedi ei greu ar amrantiad a'i fod yn gwbl wahanol i bob creadur arall. I'r gwrthwyneb, y mae'r dystiolaeth yn eithriadol o gryf heddiw fod dyn wedi esblygu oddi wrth greaduriaid nad oeddynt yn ddynion. Y gwir ydyw fod yr hyn a ddaeth yn hysbys inni yn y cread drwy ymchwil wyddonol wedi cael dylanwad aruthrol ar ein cred a'n crefydd.

Agwedd arall ydyw fod y cyfryngau torfol ac yn enwedig y teledu yn cael dylanwad eithriadol ar fywyd. Dyma ganlyniad uniongyrchol technegol wyddonol a phan feddyliwn ni am y dyfodol gyda'i ddatblygiadau ymysg lloerennau cyfathrebu a'r gallu ganddynt i gyrraedd yr holl fyd ac ymdreiddio i mewn i bob cartref yn ein gwlad, onid ydyw hyn yn sicr o ddylanwadu'n andwyol ar lefelau moesol ac ysbrydol pob un ohonom?

MAMON

Credaf fod canlyniad mwy difrifol fyth yn deillio o'r chwyldro gwyddonol. Yn ystod yr hanner canrif diwethaf hwn, gwelwyd cynnydd eithriadol yn yr offerynnau a'r celfi a'r dyfeisiadau technegol o bob math sydd ar gael i bawb a'u mynn. Y mae ein bywyd wedi ei gyflyrru ganddynt ac yn troi o'u cwmpas. Canlyniad hyn ydyw fod yr elfen o gael pethau a'u meddiannu wedi tyfu'n eithriadol yn ein gwareiddiad ac yn ein bywyd bob dydd.

Y mae gan Erich Fromm, un o feddylwyr craffaf Ewrob ym myd cymdeithaseg a'i ddadansoddiad, astudiaeth eithriadol o gyrhaeddgar yn y maes hwn. Yn ei lyfr *To Have or To Be*, y mae'n cymharu dau fath o fodolaeth neu foddion byw yn brwydro yn erbyn ei gilydd. Ar y naill law y mae'r modd i feddu, sy'n canolbwyntio ar y meddiannu materol parhaus – un o briodoleddau amlwg ein cymdeithas bresennol; yr ysbryd caffaelgar, yr awch am bŵer ac ysbryd gormesol. Ac ar y llaw arall, yr hyn a eilw Fromm y modd i fodoli, a hwnnw wedi ei sylfaenu ar gariad a'r pleser a ddaw o roddi ac o rannu ac o gynhyrchu yn hytrach na gwastraffu. Onid ydyw'r gwirionedd yma yn amlwg yn nysgeidiaeth yr Iesu – *'Na thrysorwch ichwi drysorau ar y ddaear . . ., eithr trysorwch ichwi drysorau yn y nefoedd'*. Dyma yn wir ydyw bodoli ar y dimensiwn uchaf. Ac eto yn nameg yr heuwr, sonia'r Iesu am *'ofalon y byd hwn, hudoliaeth golud a chwantau am bethau eraill yn tagu'r gair, a myned y mae yn ddiffrwyth'*.

Bellach, fe ddaeth yr agwedd wyddonol i arglwyddiaethu ar fywyd ac i ymdreiddio i mewn i bob cymal ohono. Nid casgliad o ffeithiau moel ydyw gwyddoniaeth bellach ond yng ngeiriau Syr Carl Popper daeth yn un o symudiadau ysbrydol pwysicaf ein cyfnod. Y mae'r sawl sy'n gwrthod ymdrechu i'w ddeall yn gliriach yn ei ysgaru ei hun oddi wrth y datblygiad mwyaf eithriadol yn hanes y ddynoliaeth. Er bod datblygiadau difrifol yn esgor oddi ar rai o ganlyniadau y meddwl gwyddonol, a llawer ohonynt yn peri dychryn i ddyn, credaf y gall gwyddor hithau gyfrannu'n helaeth tuag at obeithion y dyfodol. Bron na ddywedwn fod yn rhaid i'r crefyddwr bellach geisio dod i'r afael â rhyw gymaint o'r byd anhygoel sy'n cael ei amlygu beunydd gan y biolegwyr a'r gwyddonwyr. Fe fyddaf yn hoffi meddwl ar adegau mai yr un ydyw gwir amcanion gwyddor a chrefydd yn y bôn. Y mae'r naill fel y llall wedi deillio oddi ar gymhlethdodau ac ymholiadau cynhenid a'r awydd am ddatguddiad ohonynt ac eglurhad arnynt. Consyrn gwyddor a chrefydd ydyw dod i wir adnabyddiaeth o'r byd a hynny yn eu ffyrdd gwahanol, i wneud rhyw gymaint o synnwyr o fywyd ac o drefn yn y byd sydd ohoni.

Y Goleuad, 1986

CYFEIRIADAU

Fromm, Erich (1978), *To have or to be.* Jonathan Cape, Llundain.
Manod, Jacques (1971), *Chance and Necessity.* Knopp. Efrog Newydd.
Williams, Harri (1979), *Duw, Daeareg a Darwin.* Gwasg Gomer.

BIOLEG CREFYDD A SIALENS EIN FFYDD

Bu cryn dipyn o drafodaeth ynglŷn â bioleg yn ddiweddar ymysg gwyddonwyr ein cyfnod. Daeth yr ymadrodd uchod i olygu llawer i ddiwinyddion a biolegwyr fel ei gilydd.

Efallai bod y wyddor fiolegol yn tresbasu yn hyn o beth ac na ddylid ymestyn gwyddor byth i'r byd crefyddol. Ni ellir profi'n wyddonol gywir rai o'r egwyddorion dyfnaf a mwyaf sanctaidd sy'n perthyn i ddyn, fel, er enghraifft, fod i fodolaeth y creadur dynol ystyr neu bwrpas tragwyddol. Nid dyma ydyw priod faes unrhyw wyddor. Er hynny, credaf fod biolegwyr o dan reidrwydd i ymholi ynglŷn â sut a phaham y daeth dyn i goleddu syniadau ynglŷn â'r hyn a eilw Tillich yn 'ultimate concern'. Ond wedi dweud hynny, y mae lle i ofni bod ein gwareiddiad presennol dan lawer iawn llai o reidrwydd i ymholi nag yn yr oes a fu.

Soniais yn fyr yn yr ysgrif flaenorol fod dyn wedi esblygu oddi wrth greaduriaid nad oeddynt yn ddynol i'r graddau fod dyn yn ddynol heddiw. Efallai bod rhai o ddarllenwyr *Y Goleuad* yn gwrthod y ddamcaniaeth hon, ond y mae'r dystiolaeth o'i phlaid yn eithriadol o gryf bellach. Beth a olyga hyn i ni grefyddwyr? Nid hawdd ydyw diffinio gwir natur y creadur dynol. Hyd at yn ddiweddar, fe wnaethpwyd hyn mewn termau athronyddol a diwinyddol ac ar benderfyniadau wedi eu seilio ar brofiad a chrefydd. Erbyn heddiw daeth y biolegwyr â'u cyfraniad hwy, ac o ganlyniad, nid oes ateb llawn heb ddod â'r athronydd, y diwinydd a'r biolegwr i'r darlun. A chan fod y gwahanol feysydd wedi datblygu a chyrraedd lefel mor soffistigedig, anodd iawn ydyw eu cyfuno'n llawn.

Beth bynnag yw barn darllenwyr *Y Goleuad*, rhaid cydnabod bod i'r creadur dynol ddwy garfan waelodol a ffwndamental. Cyfyd y naill o'r cyfnod is-ddynol, ac un o'i nodweddion amlycaf ydyw yr ymgais barhaus i fyw ac i fodoli. Esgorodd y llall ar briodoleddau hollol ddynol fel iaith, diwylliant, traddodiad, yr ymwybyddiaeth o'r sanctaidd a'r syched am y tragwyddol. O ble y daeth crefydd i chwarae rhan mor dyngedfennol yn hanes y creadur dynol? Yr ateb traddodiadol i hyn ydyw fod Duw wedi gweld yn dda i'w amlygu ei hun mewn llawer dull a modd. Dyma diriogaeth sydd tu draw i fyd y gwyddonydd. Ni ellir profi neu wrth-brofi ymyrraeth Duw trwy reswm noeth neu drwy ddamcaniaeth y gellir ei gwireddu yn wyddonol. 'The heart has its reasons that reason knows not of,' meddai Pascal.

Dengys ymchwil biolegol fod datblygiad iaith wedi galluogi dynion i rannu profiadau a gwybodaeth â'i gilydd. Achosodd hyn gynnydd eithriadol yng ngrym traddodiad a daeth dyn yn raddol i goleddu meddyliau ystyriaethol ac yn greadur cymdeithasol gydag agweddau altruistaidd yn rhan o'i fywyd. Y mae deddfau moesol ac altruistaidd yn angenrheidiol i fywyd cymunol, ac fe atgyfnerthir hyn yn fawr iawn wrth eu cysylltu â grym arall-fydol.

Yn gysylltiedig â hyn, y mae esblygiad crefydd hefyd yn dibynnu nid yn unig ar y sawl sy'n trosglwyddo elfennau cred, ond ar y sawl sy'n barod i'w derbyn a'u trysori. Rhaid i'r rheini fod wedi eu cyflyru i dderbyn. Yr hyn sy'n hollol bwysig ydyw i ddyn ddod yn berchennog ar y gallu yma drwy ei esblygiad. Dyma ddolen gydiol bwysig iawn rhwng y system fiolegol ac esblygiad crefydd, y proses hwnnw o feithrin ym meddwl dyn y gallu, y medusrwydd a'r awydd i gredu.

'Man,' meddai Waddington (1960) 'has been turned by evolution into someone who goes in for believing'. Gyda chynnydd yr osgo wyddonol, y mae lle i ofni bod yr elfen esblygiadol yma yn colli tir yn ein gwlad. Nid oes yr un brwdfrydedd ac awydd i dderbyn cred heddiw.

Rhaid pwysleisio dau ddatblygiad pwysig arall. Esblygodd dyn i fod yn greadur hunanymwybodol a'r gallu ganddo i fyfyrio arno'i hun fel gwrthrych. Dyma un o'r sylfeini pwysicaf yn natblygiad y creadur dynol. Ond cofier bod tystiolaeth fiolegol yn awgrymu bod gan anifeiliaid hwythau ryw gymaint o'r nodwedd arbennig yma, er na all yr un anifail athronyddu. Gellir dadlau hefyd fod perthynas agos rhwng yr hunanymwybod a'r gallu i ffurfio syniadau haniaethol, a bod a wnelo'r elfen hon â datblygiad y meddwl crefyddol.

Yng nghysgod yr hunanymwybod, daeth canlyniadau eraill, yn eu plith ofn a phryder, a'r mwyaf un yr ymwybyddiaeth o farwolaeth. Amhosibl ydyw dirnad yn llawn yr effaith a gafodd hyn ar y creaduriaid dynol pan wawriodd y syniad o farwolaeth anocheladwy yn raddol arnynt. Esgorodd hyn ar feddyliau mewn dyn a'i cododd tu draw i'w dynged naturiol, a daeth i ymresymu â rhywbeth a allasai fod yn dragwyddol. Edrychwyd ar hyn fel datguddiad oddi wrth Dduw, ond y mae'r angen yn gynhenid yn y ddynoliaeth oddi ar y cyfnod pan ddaeth dyn i geisio cynnwys ei hun mewn dimensiwn mwy parhaol na bodolaeth ddaearol.

Os ydyw crefydd i olygu rhywbeth yn y byd cyfoes, rhaid ei gosod a'i ffurfio yn y cyd-destun esblygiadol. Gall esblygiad ynddo'i hun fod yn destun gobaith i ddyn, ond yn fy marn i, down i sylweddoli'n llawn ein hetifeddiaeth a'i phosibiliadau wrth gyplysu proses esblygiadol â'r ffydd Gristnogol. Dyma sialens fawr ein cred. Yn hyn o beth, onid ydyw Cristnogaeth yn rhoddi ystyr unigryw i hanes? Yn sicr, daeth llawer datguddiad o Dduw i ddyn, o ddyddiau hanes y creu i dyddiau'r Iesu a dyfodiad y Deyrnas ar y ddaear. Nid ydyw esblygiad crefydd yn groes i wirionedd a sialens y ffydd Gristnogol, ond erys cryn dipyn o gamddealltwriaeth o hyd wrth geisio gwahaniaethu rhwng sylfeini ein ffydd ac allanolion hanesyddol ein crefydd a draddodir o hyd mewn iaith sy'n myned yn ddiystyr i ddyn heddiw. Ac onid ydyw yr hyn sy'n cael ei arddel yn enw Cristnogaeth yn yr oes bresennol yn wahanol iawn i Gristnogaeth cyfnodau'r gorffennol? Y mae hyn yn amlwg iawn i mi o gymharu yr hyn a bregethir o'r pulpudau heddiw a'r hyn a gyhoeddwyd ddeugain mlynedd yn ôl. Fel y dywed Don Cupitt yn ei lyfr *The Sea of Faith* (1984), y mae llawer mwy o bwyslais heddiw ar foeseg cymdeithasol, yr ymgais i amddiffyn iawnderau yr unigolyn a noddi urddas y creadur dynol. Onid dyma a roddodd fod i 'ddiwinyddiaeth ryddhad'? Barn Cupitt ydyw bod Cristnogaeth wedi ei thrawsnewid i fod yn ddim amgen na hiwmanistiaeth crefyddol.

NEWID DDAETH

Nid rhywbeth anghyfnewidiol ydyw crefydd ac y mae rhai athronwyr a diwinyddion yn ymestyn y syniad i gynnwys y Duwdod ei hun ac agweddau ar y Duwdod sy'n awgrymu bod newid yn hanfodol i'w natur Yntau yn ei ymwneud â'r ddynoliaeth drwyddi. Y mae'r Duwdod yn ei weithgareddau yn personoli newidiadau deinamig, grymus a chreadigol.

Rhaid i'r Cristion heddiw geisio deall ac edrych o'r newydd ar y byd a ddatgelwyd drwy astudiaethau gwyddonol ac esblygiadol, ac ymdrechu i adeiladu ei ffydd ac adennill ei hyder o ganlyniad. Yr angen o hyd ydyw dyfod i wybod beth yn waelodol y mae'r ffydd Gristnogol yn ei olygu a'i ofyn oddi arnom mewn amseroedd fel y rhain. Onid ar y llinellau yma y gorwedd y sialens fawr a rydd ein Cristnogaeth i'r sawl sy'n ei harddel?

Bu tair carreg filltir allweddol a chwbl sylfaenol yn nharddiad y Cosmos. Y gyntaf oedd cyfnod datblygiad cynnar y cyfanfyd a'r esblygiad anorganaidd. Y mae ein gwybodaeth ohono, er yn fratiog, yn cynyddu. Daeth i fodolaeth ryw bum biliwn o flynyddoedd yn ôl. Yr ail garreg filltir ydyw cyfnod tarddiad pethau byw. A byth er hynny, rhyw bedair biliwn o flynyddoedd yn ôl, esblygodd bywyd yn ei amryfal ffyrdd. Dyma stori ryfedda'r cread, y llwyddiant a'r methiant yn ei hanes hir a throellog, cyfnod yr esblygiad organaidd gyda'i amrywiaeth ddihysbydd o wahanol fathau o fywyd – rhai'n esblygu'n gyflym ac yn addasu, ac eraill yn aros yn eu hunfan neu efallai yn trengi yn yr ymdrech.

Yn dilyn, esblygodd y creadur dynol. Dyma'r drydedd garreg filltir fawr a'r fwyaf tyngedfennol. Ond i'r Cristion daeth carreg filltir arall wrth i'r Iesu droedio'r ddaear. Credaf i'w fywyd fod yr un mor allweddol a thyngedfennol, os nad yn fwy felly, na'r cerrig milltir eraill. Oblegid yn yr Iesu hwn y gwelwyd y ffordd i godi'r ddynoliaeth i lefel tu hwnt i bob dirnadaeth a ddaeth cyn hynny i feddwl dyn.

'Myfi yw y ffordd, y gwirionedd a'r bywyd,' meddai'r Iesu. Y mae proses gweithredol ymhlyg yn y geiriau. Onid ydyw esblygiad yma yn cael ei ddyrchafu i'r dimensiwn uchaf un? Proses i'w ddilyn a'i goleddu ydyw cerdded y ffordd hon a dyfod i adnabyddiaeth lwyrach o'r Iesu. Esblygiad hefyd ydyw dyfod i wybod ac adnabod y gwirionedd a byw y bywyd llawn a'i fwynhau i'r eithaf fwy a mwy o hyd wrth gyfranogi ohono.

Dyma'r sialens fwyaf un a ddaeth i gyrraedd dyn. O edrych ar y ffydd Gristnogol yn y goleuni yma, nid oes anhawster wedyn i dderbyn y sialens yn y cyd-destun esblygiadol. Ac onid yr egwyddor fawr yma a ddaw i'r wyneb o hyd yn nysgeidiaeth yr Iesu am y Deyrnas? Y mae cyfrinach y Deyrnas i'w darganfod yn y newid a'r tyfiant parhaus a ddaw i fywyd pob aelod ohoni. Try llawer o ddamhegion yr Iesu am y Deyrnas o amgylch y tyfiant a ddaw o hau yr had. Pa ddefnydd sydd i unrhyw had os nad oes egino a thyfu a tharddu yn gynwysiedig ynddo? Y mae'r potensial yn aruthrol, yn ddihysbydd, yn gwbl unigryw a'r uchaf un y gall dyn ymgyrraedd ato drwy'r Efengyl.

Y Goleuad, 1986

CYFEIRIADAU

Cupitt, Don (1984), *The Sea of Faith*. B.B.C. Llundain.
Waddington, C. H. (1960), *The Ethical Animal*. Allen ac Unwin, Llundain.

O GOLLI FFYDD A'I HADENNILL

Nid oes angen rhyw lawer iawn o synnwyr cyffredin nac ychwaith o ddychymyg, heb sôn am weledigaeth, i sylweddoli bod ein gwareiddiad a'n byd mewn cryn dipyn o gyfyng gyngor y dyddiau hyn. Y mae'n amlwg fod y ddynoliaeth yn wynebu argyfyngau na feddyliwyd amdanynt genhedlaeth yn ôl. Yn eu plith cyfyd problemau'r trydydd byd – y tlodi eithafol a'r prinder ofnadwy o fwyd i fodloni'r poblogaethau cynyddol. Newidiodd safonau moesol a chymdeithasol gwledydd y gorllewin a chynyddodd y defnydd a wneir o gyffuriau. Cafodd y cyfryngau torfol ddylanwad eithriadol dros gyfnod o amser, a daeth materoliaeth a'r wanc am gael a meddiannu yn un o brif nodweddion cymdeithas. I goroni'r cyfan, y mae'r ddynoliaeth yn bodoli dan fygythiad rhyfel niwclear a'i ganlyniadau erchyll dros gyfandiroedd. Rhennir cymdeithas yn sgil gwahaniaeth barn a diffyg goddefgarwch.

Yn wyneb yr holl amgylchiadau sydd wedi ein goddiweddyd mewn cyfnod cymharol fyr, gwelwyd tueddiadau ymhlith llawer iawn o drigolion y gwledydd bellach i droi eu cefnau ar y sefyllfa, a pheidio ag ymboeni ryw lawer amdani gan ddisgwyl y daw gwell byd yn y man. Wedi'r cyfan, onid anodd ydyw bodoli o gwbl wrth feddwl yn feunyddiol am broblemau o'r fath?

Ond beth mewn gwirionedd sydd yn digwydd? A ydym, tybed, yn araf ond yn sicr ac efallai yn ddiarwybod, yn llithro i lwybr tranc ein traddodiad crefyddol a'n gwareiddiad Cristnogol? Efallai mai gormodiaith ydyw hynny, ond y mae'n amlwg ddigon i'r Eglwys fel cyfundrefn, golli ei gafael a'i dylanwad ar y gymdeithas sydd ohoni. Fel y dywedwyd, gellir priodoli hyn i fateroliaeth a difaterwch yr oes, – a hynny yn ei dro yn arwain i'r newidiadau syfrdanol a ddaeth i agwedd dyn tuag at safonau moesol a chrefyddol ei gefndir a'i dras.

Rhaid cydnabod bellach fod y canllawiau a barodd i ddyn ofni

Duw a glynu wrth eglwys a chapel wedi eu dryllio'n llwyr. I'm tyb i, canlyniad agweddau hollol newydd tuag at fywyd yn ei gyfanrwydd ydyw hyn i gyd. Gellir eu priodoli i raddau pell iawn i'r osgo wyddonol fiolegol sydd wedi treiddio yn araf ond yn sicr ddigon, i mewn i feddylfryd crefyddol yr oes a'i danseilio. Ni chredaf i grefyddwyr, hyd yn oed heddiw, sylweddoli yr effaith andwyol a gafodd yr osgo hon ar y gred draddodiadol a fu'n sylfaen ganolog a chadernid eu ffydd dros genedlaethau lawer. Eto i gyd, y mae llawer o grefyddwyr selog ein cyfnod yn derbyn boddhâd wrth ddathlu rhai o ddigwyddiadau crefyddol y gorffennol – o bumed jiwbili y Diwygiad Methodistaidd a dau gan mlwyddiant yr Ysgol Sul i eni Mari Jones o'r Bala. Ond, i filoedd o'n cyfoedion, ofer ydyw ceisio adennill gorfoledd y gorffennol pell. Gan imi drafod yn fanwl eisoes yn *Y Traethodydd*, 1970, 1974, rai o'r canllawiau a sigwyd, ni wnaf ond eu nodi'n fyr yma. Diorseddwyd y syniad fod dyn wedi ei greu ychydig is na'r angylion ac ar lun a delw Duw, ei greu yn y perffeithrwydd hwnnw ond iddo syrthio ohono drwy bechod. Y gwrthwyneb sydd yn apelio bellach. Esblygodd dyn i'w ddimensiwn presennol oddi wrth greaduriaid nad oeddynt yn ddynion. Beth felly a olygir wrth 'y cwymp'? A oes diddanwch wrth sôn am 'hil syrthiedig Adda'? Bellach nid ydyw mythos stori'r creu (a defnyddio'r gair 'mythos' yn ei ystyr wreiddiol) yn golygu nemor ddim ochr yn ochr â'r ddamcaniaeth esblygiadol fodern. Y mae dyn (a phob math arall o fywyd o ran hynny) yn esblygu ac yn addasu tuag at ddimensiwn uwch yn yr amgylchfyd y caiff ei hun yn trigo ynddo.

Canllaw arall a ddrylliwyd ydyw'r gred mai creadigaeth Duw ydyw'r bydysawd a bod Ei lywodraeth i'w gweled drwyddi. Hawdd oedd derbyn y 'ddamcaniaeth' hon genhedlaeth neu ddwy yn ôl pan briodolwyd popeth – y dealladwy a'r annealladwy i'r Goruchaf. Bellach chwalwyd y syniad oesol hwn a chydnabyddir bod natur yn greulon wrth ddidoli a dewis rhai ffurfiau o fywyd i oroesi eraill. Trengi ydyw hanes llawer yn y frwydr barhaus: 'Nature is red in tooth and claw'. Sut y gellir cysylltu'r priodoleddau hyn â Duw cariad. Eto i gyd, yr ydym ni, grefyddwyr, yn hapus ddigon drwy emyn, gweddi a phregeth i fynnu dal ein gafael yng ngoruchafiaeth a llywodraeth fawr y goruwch-naturiol dros holl agweddau ar fywyd o'n cwmpas. Erbyn heddiw, rhaid wynebu mai cors o ddryswch yn arwain i anobaith ydyw hyn i laweroedd o'n cyd-ddynion.

A mwy na hynny, onid ydym o hyd yn addysgu'n plant mewn ysgol Sul ac oedfaon arbennig a'u trwytho yn yr union agweddau o'n traddodiad crefyddol sydd yn arwain at gymhlethdodau? Caiff eu ffydd ei darnio a'u hysgwyd wrth i'n plant ddatblygu yn feddyliol a cheisio gwneud rhyw fath o synnwyr o'u bywyd. Yn aml, llithro i anobaith ydyw eu hanes ac yna chwilio am ffynonellau a dylanwadau eraill – lawer ohonynt yn hollol faterol eu naws, nad ydynt o bell ffordd yn bodloni gofynion a nwydau dyfnaf eu personoliaeth.

Ni chredaf ychwaith fod y syniad o fuddugoliaeth a rydd ein crefydd gonfensiynol dros angau yn bodoli i'r un graddau heddiw. Yn ei esblygiad daeth dyn i goleddu syniadau am yr annirnadwy a'r diderfyn a fu'n gyfrwng i'w ddyrchafu ymhell tu draw i'w dynged naturiol. Bu'r syniad yma o anfarwoldeb yn un o binaclau y ffydd draddodiadol. Bellach gwelwyd newid ymagweddol sylfaenol, a daethpwyd i edrych ar farwolaeth nid fel y gelyn olaf i'w oroesi ond fel digwyddiad hollol angenrheidiol i barhad yr hil ddynol ar y ddaear. Credaf i hyn ddilyn o'r syniad gwaelodol fod dyn wedi dyfod i sylweddoli'n araf nad bodolaeth yn gyfan gwbl ar wahân i bob math arall o fywyd ydyw mewn gwirionedd. Nid cread unigryw ychydig is na'r angylion mohono, ond yn hytrach ac fel pob math arall o fywyd, cynnyrch a ffrwyth esblygiad ydyw yn ei hanfod.

Fel y dywedwyd eisoes, priodolir y tueddiadau hyn i ddatblygiadau pendant a thyngedfennol ym myd y gwyddorau biocemegol a biolegol ein hoes ac yn arbennig y ddamcaniaeth esblygiadol o'r cosmos ac o fywyd. Bellach nid oes neb a wad y cerrig milltir mwyaf allweddol yn nharddiad y bydysawd. Amcangyfrifir yn fras i'r cosmos ddyfod i fodolaeth ryw bum i ddeg biliwn o flynyddoedd yn ôl. Tarddodd oddi wrth stad o wasgedd eithafol pan oedd dwysedd mater ac ymbelydredd filiynau o weithiau yn uwch na dŵr. Dyma gyfnod yr esblygiad anorganaidd. Trobwynt mawr arall ym myd stori'r esblygiad ydyw tarddiad bywyd ryw bedwar i bum biliwn o flynyddoedd yn ôl. Byth er hynny, esblygodd bywyd yn ei amryfal ffyrdd drwy'r ddaear i gartrefu ymhob cilfach a glan, mynydd a dyffryn, môr ac afon. Dyma stori ryfedda'r cread, ac er i'r ddaear fod ond megis gronyn o dywod ar draeth enfawr, nid oes eto sicrwydd pendant ynglŷn â bodolaeth mathau o fywyd mewn unrhyw ran arall o'r cosmos er bod chwilio beunydd.

Boed hynny fel y bo, gallwn fod yn sicr o'r ffaith fod y newidiadau ym myd yr esblygiad organaidd wedi bod yn llawer cyflymach o'i gymharu â'r datblygiad anorganaidd. Nodweddir ef gan amrywiaeth ddihysbydd o wahanol fathau o fywyd ac amcangyfrifir bod oddeutu tair i bedair miliwn o rywogaethau o anifeiliaid a phlanhigion yn bodoli bellach. Y mae cryn dipyn ohonynt heb eu hastudio a'u dosbarthu ond ymddengys fod pob un yn addasu ar gyfer rhyw gilfach o'r amgylchfyd y mae'n trigo ynddi. Heb addasiad, trengi ydyw eu tynged. Os priodolir esblygiad i Greawdwr a chanddo bwrpas tragwyddol yn ei fwriadau, nid hawdd ydyw egluro diflaniad a methiant llawer math o fywyd yn yr arfaeth.

Eto i gyd, er holl amrywiaeth bywyd, erys tebygrwydd sylfaenol. Dengys un o'r astudiaethau mwyaf syfrdanol y blynyddoedd diwethaf hyn fod i etifeddeg debygrwydd biocemegol eithriadol pa ffurf bynnag o fywyd a ddadansoddir. Yn dilyn o'r esblygiad organaidd, a thua dwy i bedair miliwn o flynyddoedd yn ôl, amcangyfrifir i greaduriaid a thebygrwydd iddynt i ddyn ymddangos ar y ddaear. Dyma drobwynt tyngedfennol arall yn hanes y bydysawd, ac yn ôl y biolegwyr genetegol, dyma'r mwyaf un. Am resymau pendant nad oes raid eu mynegi yma, datblygodd y creadur dynol i feddu ar briodoleddau nad oes ond yr agweddau lleiaf ohonynt yn bodoli os o gwbl, drwy'r holl ffurfiau eraill ar fywyd.

Canlyniad hyn i gyd ydyw i ddyn ddod yn raddol i feddiannu galluoedd a bair arswyd o feddwl amdanynt o ddifrif. A'i roddi mewn ffordd syml, ond ar yr un pryd yn y termau mwyaf arswydus, coleddwyd syniadau a all arwain yn llythrennol i hunanladdiad y creadur dynol. Dyma'r pris a delir am yr esblygiad dynol a'i holl oblygiadau a'i ganlyniadau. Yn nannedd syniadau o'r fath, a oes diddanwch a chysur o ddal gafael yn ein crefydd draddodiadol ac o gredu bod y ddynoliaeth o hyd yn seilio ei gobaith ar drefn fawr y Goruchaf a'i Eglwys ar y ddaear?

Yn sicr ddigon, canlyniad y chwyldro a'r ymddygiad gwyddonol fiolegol ydyw hyn oll yn y bôn. Er nad oes fawr ddim newydd iawn mewn teithi meddwl o'r fath, credaf i grefyddwyr a diwinyddion cyfoes fethu dyfod i sylweddoli eu harwyddocâd. Ni fu ychwaith ymdrech o gwbl i geisio edrych o'r newydd ar briodoleddau mawr ein ffydd yn nannedd y chwyldro. Rhaid dwyn ar gof fod pob gwyddor yn ennyn mewn dyn weithgareddau i'w arwain at y ddealltwriaeth ddyfnaf, a'r maen prawf bob amser ydyw i hynny ddatgelu'r gwirionedd eithaf amdano o fewn ei allu ar y pryd.

Yn y cysylltiadau hyn, onid gwir ydyw dweud bod cyfnod wedi bod yn ein hanes pan oedd astudiaethau diwinyddol ar y brig. Cyfrifwyd hwynt y mwyaf awdurdodol o'r holl feysydd trafod ac yr oeddynt yn ennyn parch a brwdfrydedd. Yn wir onid hwy oedd yn arglwyddiaethu dros holl feddylfryd y blynyddoedd hynny? Bellach, daeth tro ar fyd. Y gwyddorau, yn eu hastudiaethau o natur, yn fiolegol, yn gemegol ac yn ffisegol, sydd yn arwain ymysg yr allweddau hanfodol at geisio dadansoddi'n fanwl gywir holl ddirgelion y cread a bywyd. Nid yw hyn gyfystyr â chyfaddef bod y gwyddorau hyn wedi treiddio i mewn i'r byd metaffisegol a'i ddinistrio, er i rai hyd yn oed gredu hynny. Eto i gyd gellir dadlau bod y gwyddorau wedi ychwanegu at ein dealltwriaeth o'r byd hwnnw, ac er iddynt ymwneud yn wreiddiol â ffeithiau moel a dyfalu am esboniad ohonynt, y mae llawer, bellach, yn edrych arnynt fel rhai o gyraeddiadau mwyaf tyngedfennol ein cyfnod. Ond o dderbyn hynny, cyfaddefir na all gwyddor fyth ddiorseddu'r byd metaffisgol yn gyfan gwbl. Erys un gwahaniaeth sylfaenol. Enynnwyd mewn dyn yr ymdeimlad gwaelodol am yr hyn a *ddylai* fodoli rhagor na darganfod a deall dirgeledigaethau cred ynglŷn â **beth** sy'n bodoli. Nid oes amheuaeth fod y dimensiwn hwn yn rhan annatod o gyrhaeddiadau crefyddol y ddynoliaeth.

Yn draddodiadol, enynnir y cyrhaeddiadau crefyddol yn y syniad hollol ffwndamental i grefyddwyr, fod Duw wedi amlygu ei hun yn ei amryfal ffyrdd i'w ddilynwyr. Yn yr oes wyddonol hon, beth ydyw ffynhonnell a sail y syniad gwaelodol yma?

Po bellaf yn ôl yr awn yn y cyfnodau tywyll hynny pan oedd dyn yn esblygu oddi wrth greaduriaid nad oeddynt yn ddynion, daw ymarferiadau hud, lledrith ac ofergoeliaeth fwyfwy i'r wyneb. Ond yn bwysicach na hynny, daethpwyd yn raddol i sylweddoli analluogrwydd yr holl ymdrechion i ddirnad ffenomenau naturiol yr amgylchfyd. Yr oedd y mwyafrif ohonynt tu draw i ddirnadaeth y dyn cyntefig. Yn araf, ganwyd y syniad o rym y tu draw ond eto'n cynnwys pob grym naturiol. Esgorodd hyn ar syniad mwy uchelgeisiol byth. Ffurfiwyd y meddylfryd unigryw o'r Duwdod, a hynny ar y dechrau yn gyfrinach i'r ychydig. Nid hawdd oedd i'r mwyafrif mawr o'r ddynolryw ddiorseddu dros gyfnod byr eu hofergoelion cynhenid. Nid oes amheuaeth i naturiaeth ddylanwadu'n gryf iawn ar grefyddau'r gorffennol. Bu wrth wraidd holl gredoau cynnar a chyntefig y ddynoliaeth.

Fel y ceiswyd dangos, collodd yr agweddau diwinyddol ein crefydd eu hapêl a daeth yr agwedd wyddonol i fodoli. Bu'r newid yn un cyflym ac o ganlyniad, methodd ein crefydd gyfundrefnol ddal ei thir. Collodd ei gafael ar rannau helaeth o'r gymdeithas, gwthiwyd hi i ryw orwel pell a'i diddymu'n llwyr o realiti bywyd bob dydd.

Nid hawdd ydyw dygymod â hyn, yn enwedig o gofio'r fagwraeth a gefais ar aelwyd grefyddol a chael fy nhrwytho yn y ffydd drwy'r dulliau yr oedd llewyrch arnynt yn y dyddiau hynny, yn oedfaon, ysgol Sul a chyfarfodydd eglwysig o bob math. O ddyddiau Coleg hyd at heddiw, ymdrechais i ddal fy ngafael yn y traddodiad y magwyd fi ynddo. Ond o dreulio y rhan helaeth o'm hoes mewn astudiaethau gwyddonol ac ymchwiliadol ar y naill law, ac ymboeni am gyflwr byd ac eglwys a'm credo crefyddol ar y llaw arall, nid hawdd ydyw uniaethu'r cyfan i fodloni fy ymwybyddiaeth yn llwyr. Ar adegau, daw cysur o eiriau Tennyson – 'there lives more faith in honest doubt, believe me, than in half the creeds'.

Cyfaddefaf na chefais i weledigaeth grefyddol ar amrantiad fel petai, a byddaf yn ymresymu ar adegau mai canlyniad fy ngyrfa wyddonol sydd wedi gwrthweithio yn erbyn hynny. Ond ni dderbyniais ychwaith y cysur lleiaf o brofi gyda'r bardd wrth iddo werthuso traddodiad ei hynafiaid a chanu 'mai mewn anwybod y mae nef yn wir'. Beth felly ydyw cyfrifoldeb y Cristion o geisio adennill ac adlewyrchu ei ffydd yn y byd sydd ohoni? I'm tyb i, nid trwy geisio cynhyrfu'r dyfroedd yn arwynebol ac emosiynol, nac ychwaith lynu'n ddifeddwl wrth athrawiaethau'r gorffennol y llwyddir i ateb y cwestiwn mewn dyddiau fel y rhain, os oes ateb o gwbl.

Rhaid pwysleisio nad ffeithiau moel sydd wrth wraidd y chwyldro gwyddonol bellach, ond yn hytrach agwedd hollol ffwndamental. Y mae'r neb a wrthodo ddyfod i adnabyddiaeth glir ohono yn ei ddallu ei hun i ddatblygiad mwyaf eithriadol a thyngedfennol ein canrif. Credaf ei bod yn oblygedig ar y Cristion heddiw i edrych o'r newydd ar y byd a ddatgelwyd drwy astudiaethau gwyddonol o bob math, a cheisio adeiladu ac adennill ei ffydd o'r newydd o ganlyniad. Credaf hefyd y cyfyd profiadau gwefreiddiol o geisio deall beth yn y pen draw y mae'r ffydd Gristnogol yn ei olygu a'i ofyn mewn amseroedd fel y rhain, amseroedd a dybiaf sydd mor wahanol o'u cymharu â'r blynyddoedd y rhodiodd yr Iesu lwybrau'r ddaear. Os nad oes gan ein ffydd neges wedi ei haddasu i'r oes bresennol ac wedi ei seilio ar y naill law ar ddysgeidiaeth yr Iesu ac ar y llaw arall yn cydredeg â chyraeddiadau gwyddonol a biolegol yr oes, ofnaf mai ofer yn wir ydyw ein hymdrechion.

Dyma her fawr i'r Eglwys hithau. Beth amser yn ôl, estynnodd Golygydd *Y Traethodydd* wahoddiad i rai o Gristnogion a diwinyddion mwyaf blaenllaw ein cenedl i ateb yr her. Cafwyd cyfres o ysgrifau gafaelgar, ond loes i un fel fi oedd sylweddoli na soniwyd ond unwaith yn fyr gan un o'r gwahoddedigion beth a ddylai ymateb y Cristion fod i'r chwyldro gwyddonol.

Pa agweddau ar ein ffydd a ddeil yn wyneb y berw gwyddonol? I ateb, rhaid ymwrthod â damcaniaethau diwinyddol a fu mor lluosog ac mor amrywiol yn ystod y blynyddoedd diwethaf hyn ac yn hytrach ganolbwyntio ar hanfod ein ffydd yn ôl uchelbwyntiau bywyd a dysgeidiaeth yr Iesu. Os oes gan ddiwinyddiaeth marwolaeth Duw unrhyw arwyddocâd mewn oes fel hon, ein dysgu i ailddarganfod hanfodion ein crefydd a datgymalu a dinistrio yr amrywiol ddamcaniaethau diwinyddol ydyw hynny.

Saif yr Iesu yn ganolbwynt ein gobaith, yr Iesu a rodiodd ein daear am gyfnod byr ac a ddangosodd y llwybr i'n gwahodd i fod yn ddilynwyr iddo yn y drefn newydd a geisiodd ei sefydlu. Cododd obeithion y ddynoliaeth i ddimensiwn hollol newydd a bu ei fywyd yn drobwynt yr un mor allweddol a thyngedfennol yn hanes y ddynoliaeth a'r tri a nodais eisoes. Yn wir, i'r Cristion dyma'r mwyaf un, a hynny nid o angenrheidrwydd oblegid geni'r Iesu'n wyrthiol o forwyn ar ddechrau ei fywyd, nac ychwaith ei groeshoeliad ar ei ddiwedd, ond yn y ffordd a ddangosodd yn ei fywyd i godi'r ddynoliaeth i lefel tu hwnt i bob dirnadaeth a ddaeth i feddwl dynion cyn ei ymddangosiad.

Prif lwybr y ffordd hon ac yn wir, calon dysgeidiaeth yr Iesu oedd ei weledigaeth o'r Deyrnas. Credaf i ddwy agwedd hanfodol gael eu gwireddu wrth i'r Iesu sôn am y Deyrnas. Yr agwedd waelodol oedd fod y Deyrnas ar fin dyfod ac y byddai ei hymddangosiad yn goddiweddyd yr holl fyd ac yn weladwy i bawb. Nid oes raid dwyn ar gof i ddarllenwyr *Y Traethodydd* dystiolaeth o enau'r Iesu ynglŷn â'r elfen hanfodol hon. Yr oedd yr ail agwedd yn ymwneud â chyflwr yr unigolyn. Wrth iddo sylweddoli dyfodiad y Deyrnas yn ei grym a'i harwyddocâd, daw'r unigolyn i ymwybyddiaeth newydd. Fel yr oedd yr Iesu'n fab Duw, daw'r deiliaid hwythau i ymgyrraedd at yr un berthynas, ac i sylweddoli eu bod yn frodyr i'w gilydd ac yn blant i Dduw. Yn y gwraidd, y mae'r agweddau hyn yn hollol berthnasol i'w gilydd. Fe fydd yr unigolyn sy'n cyrraedd y dimensiwn newydd yn rhan o'r cyflwr newydd sydd i ledaenu drwy'r holl fyd.

Ni wn beth ydyw adwaith ysgolheigion beiblaidd ein cyfnod i broffwydoliaeth yr Iesu am y Deyrnas. Er hynny, erys un peth yn sicr. Nid ymddangosodd y Deyrnas mewn grym ac ni ddaeth yr awr dyngedfennol fel y tybiai yr Iesu. O ganlyniad, daeth credinwyr yn araf ond yn sicr i gysylltu eu mynediad i'r Deyrnas i raddau pell iawn â bywyd mewn byd arall. Collwyd sialens fawr y ffydd Gristnogol, sef i blant dynion etifeddu'r Deyrnas fel deiliaid yn y byd sydd ohoni. Erys yr angen sylfaenol i wireddu a phrofi ail gymal syniadaeth yr Iesu, y gobaith i blant dynion ymgyrraedd at dyfu yn y byd hwn i fod yn ddeiliaid yn y dimensiwn newydd.

Y mae llawer o ddamhegion yr Iesu ynglŷn â'r Deyrnas yn pwysleisio'r tyfiant anorfod o'i mewn. Onid dyma ergyd fawr dameg yr heuwr? Yr had 'a roddes ffrwyth tyfadwy a chynhyrchiol, ac a ddug un ddeg ar hugain, ac un dri ugain, ac un gant'. Y mae geiriau'r Iesu i'w ddisgyblion ar ôl traethu'r ddameg yn ddeifiol, 'Oni wyddoch chwi y ddameg hon? A pha fodd y gwybyddwch yr holl ddamhegion? ... Ac ni bu ddim dirgel, ond fel y delai i eglurdeb'. Ac eto mewn dameg arall 'y mae teyrnas Dduw, fel pe bwriai ddyn had i'r ddaear'. Rhaid wrth dyfiant, nid oes na phwrpas na gobaith mewn had ond i'r graddau y bydd yn tyfu er i hynny fod mewn modd nad oes deall arno. Portreadir yr un gwirionedd yn nameg gronyn yr had mwstard hithau. Y lleiaf o'r holl hadau 'yn tyfu, ac yn myned yn fwy na'r holl lysiau, ac efe a ddwg ganghennau mawrion; fel y gallo ehediad yr awyr nythu dan ei gysgod ef'. Meddai'r Iesu, 'a pha fesur y mesuroch, yr adfesurir i chwithau; *a chwanegir i chwi y rhai a wrandewch*. Canys yr hwn y mae ganddo, y rhoddir iddo'. Onid cyfeiriadau sydd yma at y tyfiant anorfod sy'n gwbl nodweddiadol o'r sawl a fynno fod yn ddeiliaid yn y Deyrnas?

Ofnaf yn ddirfawr heddiw fod y profiad o dyfiant ar ran credinwyr bron wedi myned yn gwbl ddieithr iddynt. Collwyd yr elfen hanfodol hon o'n hymwybyddiaeth Gristnogol i raddau pell iawn. Eto yng ngeiriau'r Iesu 'a'r hwn nid oes ganddo, ie yr hyn sydd ganddo a ddygir oddi arno'. Yn hytrach na sylweddoli arwyddocâd yr agweddau gwaelodol hyn, yn y ffydd Gristnogol, cawsom ein meddiannu gan ddiwinyddiaeth canrifoedd cred, diwinyddiaeth sydd wedi cymhlethu a gorchuddio dysgeidiaeth seml ond cwbl hanfodol o eiddo'r Iesu am y Deyrnas.

Yr hyn sy'n gwbl eglur a gobeithiol i mi ydyw fod yr agweddau a nodais ynglŷn â dysgeidiaeth yr Iesu yn gwbl unol â holl gyraeddiadau esblygiadol dyn. Yr esblygiad mwyaf un ydyw i ddyn gael ei ddyrchafu i ddimensiwn a golud Teyrnas yr Iesu a hynny yn y byd hwn. Ond os cyll y sawl a'u geilw eu hunain yn ddilynwyr yr Iesu y weledigaeth sylfaenol a bortreadir o'r Deyrnas, yna collir holl gnewyllyn ein ffydd.

Gwyn ein byd pe medrem eto dyfu i brofi arwyddocâd a llawenydd yr unigolyn mewn dameg arall o eiddo'r Iesu. Y mae'r Deyrnas yn gyffelyb 'i drysor wedi ei guddio mewn maes'. Wedi ei ddarganfod, y mae dyn yn gwerthu'r cwbl a feddodd i brynu'r maes er sicrhau'r trysor a meddiannu'r Deyrnas.

Y Traethodydd, 1985

'AC FE FYDD NEWYN'

Aeth rhagor na dwy flynedd heibio wedi i wledydd y gorllewin ddyfod wyneb yn wyneb â'r newyn mawr yn Ethiopia a'r gwledydd cyfagos. Ymddangosodd llawer o gyfeiriadau yn y wasg dros gyfnod o flynyddoedd i'n rhybuddio o'r hyn a allasai ddigwydd. Er hynny, y darluniau brawychus a fflachiodd ar ein setiau teledu yn portreadu'r dioddef a'r newyn eithriadol a ddaeth â'r sefyllfa yn fyw o flaen ein llygaid. Prociwyd cydwybod y gorllewin i'r byw a bu'r ymateb yn eithriadol. Nid oes amheuaeth na ddeffrowyd ymwybyddiaeth a chydymdeimlad trigolion y Deyrnas Unedig a llifodd cymorth o bob math mewn ffyrdd ymarferol a chanmoladwy. Daeth ysbryd altrwistaidd ein gwlad ar ei gorau i'r wyneb.

Nid oes amheuaeth ddarfod i'r ymateb liniaru cryn dipyn ar gyflwr y gwledydd anffodus hyn, ond ymledodd y newyn i rannau eraill o Affrica, ac y mae'r dioddef a'r marwolaethau ymysg trigolion y rhannau hyn o'r cyfandir ar gynnydd. Daethpwyd i sylweddoli fwy a mwy nad ar chwarae bach y mae datrys y problemau gwaelodol a dyrys hyn. Dyma yn wir sy'n peri arswyd i ni drigolion gwledydd y gorllewin na phrofasom erioed ddim i'w gymharu â'r caledi dirdynnol, y dioddef eithafol a'r crwydro diobaith ymysg brodorion Ethiopia a rhannau helaeth o'r gwledydd cyfagos.

Wedi dweud hynny, rhaid dwyn ar gof nad ydyw newyn yn brofiad newydd yn hanes Ethiopia a rhannau eraill o'r trofannau. Dengys astudiaethau hanesyddol fod y rhannau hyn o'r byd ac yn arbennig felly wledydd Affrica, wedi dioddef a phrofi llawer o gyfnodau maith o newyn difrifol dros y canrifoedd. Bu newyn eithriadol o galed yn y flwyddyn 1828 ac un arall ryw drigain mlynedd wedyn am gyfnod o bedair blynedd. Amcangyfrifir i'r newyn hwnnw ladd trydedd ran o boblogaeth Ethiopia ac fe'i dilynwyd yn ôl yr hanesion gan bla o locustiaid. Bu difrod eithriadol ac ymddengys fod rhan helaeth o dda byw cynhenid y wlad wedi eu diddymu'n llwyr gan afiechydon o ganlyniad i'r amgylchiadau hinsoddol. Ac nid cyfandir Affrica yn unig a ddioddefodd. Dengys astudiaeth fanwl gan Masefield (1950), un o arbenigwyr amlycaf amaethyddiaeth y trofannau, fod rhannau helaeth o'r gwledydd poeth wedi dioddef yn achlysurol am genedlaethau. Bellach, nid oes amheuaeth ddarfod i'r sefyllfa waethygu'n ddirfawr wrth i boblogaethau'r gwledydd hyn a'u da byw gynyddu y tu draw i bob dirnadaeth dros gyfnod byr o amser.

Ni chredaf ein bod eto wedi sylweddoli'n llawn nad un elfen arbennig sy'n gyfrifol am drychinebau y trydydd byd yn y blynyddoedd diwethaf. Datganwyd fwy nag unwaith mai'r prif os nad yr unig reswm dros y sefyllfa bresennol ydyw fod dynion dros gyfnodau hirion wedi rheibio a difrodi rhannau helaeth o diriogaethau y gwledydd anffodus hyn. Yr unig fwriad oedd elwa ar y gofyn am fwydydd rhad i fodloni poblogaethau cynyddol y 'mamon diwydiannol' a ymledodd mor gyflym dros orllewin Ewrob o gyfnod y Chwyldro Diwydiannol hyd at heddiw. Er bod peth gwirionedd yn hyn, bellach daethpwyd i sylweddoli nad dyma'r gwir i gyd o bell ffordd. Dengys astudiaethau y blynyddoedd diwethaf mai cyfuniad cymhleth amryw o ffactorau sylfaenol sy'n gyfrifol, ac os na fydd ymgais gref i feithrin ymateb newydd a chadw'r holl ffactorau beunydd o flaen ein llygaid, ofer fydd pob ymdrech i wella'r sefyllfa. Gall y sefyllfa yn hawdd waethygu'n gyflym ac y mae ceisio dirnad erchylltra'r canlyniadau os digwydd hynny, yn frawychus.

Cynnwys y rhannau hynny o Affrica sy'n dioddef waethaf o leiaf ddeg o wledydd annibynnol y cyfandir. Ymleda'r Sahel yn gylch enfawr o Senegal a Mauritania yn y gorllewin i Ethiopia a Somali yn y dwyrain. Amhosibl a pheryglus iawn ydyw cyffredinoli'r agweddau daearegol, hinsoddol a chymdeithasol sy'n nodweddu'r rhannau helaeth hyn o'r cyfandir. Amrywia'r ffactorau ecolegol hynny sy'n dylanwadu ar safonau byw y brodorion o ardal i ardal heb sôn am y newidiadau o wlad i wlad i'r priodoleddau daearegol a phedolegol yn ogystal â'r elfennau hinsoddol a'u dylanwad sylfaenol. A theg hefyd ydyw cydnabod bod y ffactorau, wrth iddynt weithredu'r naill ar y llall, yn effeithio yn bwy o lawer ar drigolion y gwledydd trofannol o'u cymharu â thiriogaethau'r ardaloedd tymherus. Canlyniad hyn ydyw fod y trigolion ar hyd y canrifoedd wedi dysgu addasu eu hunain a'u bywyd ar gyfer yr amgylchiadau. Anos o lawer oedd addasu y system ecolegol gymhleth ar gyfer y trigolion. Y ffaith hon a roddodd gychwyn i'r drefn draddodiadol o amaethu symudol nomadaidd a fu mor nodweddiadol o'r trofannau sych am ganrifoedd. Cyfrinach y drefn oedd cnydio'r tir am ddwy neu dair blynedd ac yna ei fraenaru am ddeg, pymtheg neu efallai ugain yn ôl safonau daearegol a phedolegol yr ardal. Rhydd y braenar gyfle i'r priddoedd ysgafn adennill peth o'u ffrwythlondeb dros y blynyddoedd. Diddorol ydyw nodi yma fod trefn o'r fath wedi bod ar diroedd âr ym Mhrydain cyn eu dosbarthu a'u darnio yn ffermydd unigol. Nodweddwyd y drefn gan dri maes – maes y gwenith, maes y geirchen a maes y braenar. Oherwydd yr hinsawdd, yr oedd blwyddyn yn ddigonol dan fraenar i'r tir adennill ei ffrwythlondeb a'i lanweithdra. Yr oedd angen cyfnodau llawer mwy yn y trofannau sych, a'r braenar yn ymestyn i ddeng mlynedd a mwy. Ond, a dyma'r paradocs, gyda'r cynnydd eithriadol ym mhoblogaethau'r gwledydd trofannol, unig obaith y brodorion yn eu hymgais i gynhyrchu mwy o fwyd oedd cwtogi ar flynyddoedd y braenar. Bu'r effaith dros gyfnod ac mewn rhai ardaloedd yn drychinebus. Difrodwyd y tir a chyda chyfnodau hir o sychdwr ac o wres, bu'r erydu'n eithafol. Erbyn heddiw ymledodd y crastiroedd dros arwynebedd enfawr ac nid oes unrhyw obaith i'w hadennill a'u cnydio ar gyfer lluniaeth i ddyn ac anifail heb ymdrech hir a chostus. Aeth yr argyfwng o ddrwg i waeth wrth i'r glaw fethu dros dymhorau. Nid oedd cnydau o unrhyw fath i'w cynaeafu a chrwydro fu hanes minteioedd lawer o'r trigolion heb fawr obaith am y dyfodol.

Yn ychwanegol at ddiflaniad y cnydau, methodd y porfeydd hwythau a bu colledion enfawr ymysg anifeiliaid a da byw y brodorion. Ond efallai nad anfantais lwyr mo hon yn y bôn. Dros y blynyddoedd datblygodd yr wyddor filfeddygol i'r fath raddau nes bod llawer o heintiau cynhenid a gadwodd nifer y da byw o fewn terfynau wedi eu hatal. A chan fod nifer yr anifeiliaid, rhagor na'i hansawdd a'u cynnyrch, yn dylanwadu ar statws perchenogion y da byw yn y gymdeithas, bu cynnydd eithriadol yn eu nifer. Po fwyaf oedd rhif yr anifeiliaid ym meddiant yr unigolyn, uchaf yn y byd oedd ei statws yn y gymdeithas. Adlewyrchodd hyn yn drychinebus ar ansawdd y porfeydd cynhenid. Dyma ffactor bwysig arall a effeithiodd yn drwm ar y cydbwysedd ansefydlog a chymhleth rhwng y brodorion a'u hamgylchfyd.

Ond daw agwedd fwy difrifol fyth i fygwth bywyd trigolion llawer o wledydd y trofannau gan gynnwys y Sahel. Bellach y mae cytundeb ymysg demograffwyr ein cyfnod fod poblogaethau'r rhannau hyn o'r byd yn cynyddu'n ddirfawr ar hyn o bryd er nad oes ystadegau manwl ar gael. Os ydyw poblogaethau'r gwledydd hyn yn dyblu bob pedair blynedd ar hugain fel y tybir, ac y mae sail gadarn i'r ddamcaniaeth, fe fydd poblogaeth Ethiopia yn unig wedi cyrraedd hanner can miliwn erbyn troad y ganrif a hynny er gwaethaf y marwolaethau o ganlyniad i'r newyn presennol. Ni all neb amgyffred effaith y cynnydd ar safonau byw y brodorion ac ar yr amgylchfyd drwyddo.

Yn awr, ac fel y nodwyd eisoes, ni ellir gwahanu yr agweddau ecolegol, daearegol a demograffyddol hyn oddi wrth ddosbarth arall o ffactorau dylanwadol. Y mae'r elfennau dynol, cymdeithasol a pholiticaidd hwythau'n cydweithio ar y sefyllfa bresennol. Y llynedd, ymddangosodd datganiad pwysig yn y wasg wedi ei sylfaenu ar adroddiad ymchwiliad gan amryw o anthropolegwyr Amgueddfa Archaeoleg a Ethnoleg Prifysgol Harvard. Yr hyn a ddaw'n eglur yn yr adroddiad ydyw ymateb penaethiaid politicaidd Addis Ababa i'r argyfwng presennol. Yn eu tyb hwy, y ffordd i ddatrys y broblem ydyw uno brodorion yr ardaloedd yn finteioedd anferth i gydweithredu a chynhyrchu cnydau i'w gwerthu i alluogi'r llywodraeth i gynyddu ei chyfalaf. Rhoddwyd hyn ar waith eisoes ac yn ôl yr adroddiad, effeithiwyd ar dri miliwn o drigolion amaethyddol yr ardaloedd. Bwriedir ad-drefnu ugain miliwn arall yn y dyfodol agos. Yn rhyfedd iawn yn y trofannau, nid rhywbeth newydd mo hyn o gwbl. Mabwysiadwyd y math hwn o bolisi yn Ethiopia saith mlynedd yn ôl pan ailgartrefwyd y trigolion mewn unedau anferth a'u disgyblu i godi cnydau ar gyfer eu lluniaeth. Yn ôl y penaethiaid politicaidd, prif rwystr datblygiad amaethyddol y rhannau hyn o'r wlad ydyw patrymau ymgartrefol y brodorion wedi eu sefydlu ar unedau bychain, a than y drefn draddodiadol hon, anodd ydyw manteisio ar y datblygiadau diweddaraf ym myd technoleg a gwyddoniaeth.

Bu llawer cyfeiriad yn y wasg ac ar y radio yn ddiweddar at y math hwn o bolisi sy'n cael ei fabwysiadu yn y trydydd byd. Ond hyd yma nid ydyw hyn wedi arwain at gymunedau mwy llewyrchus nac ychwaith wedi cynyddu cynnyrch y tiroedd ar gyfer cynhaliaeth i'r brodorion. Yn aml, gorfodir yr amaethwyr i newid eu patrymau cnydiol a thyfu cnydau hollol newydd i'w hallforio rhagor na chnydau i fodloni anghenion y pentrefwyr a'u cadw rhag newyn mewn cyfnod o galedi.

Ond y mae canlyniadau ecolegol pwysig eraill yn gwrthweithio yn erbyn polisi o'r fath. Wrth i'r pentrefeiddio fyned rhagddo ar lefelau eang, rhoddir pwyslais ychwanegol ar y cyflenwadau tirol. Ymdrechir at gnydau mwy cynhyrchiol heb ofalu bod y tir yn addas ar eu cyfer. Rhoddwyd pwyslais hefyd ar dyfu cnydau i'w hallforio er budd yr ychydig na chanolbwyntio ar gnydau porthiannol i liniaru newyn yn lleol. I'r perwyl hwn, rhaid oedd cloddio am gyflenwadau ychwanegol o ddwfr drwy adeiladu mwy o ffynhonnau yn yr ardaloedd newydd. Yn ôl dadl yr arbenigwyr Sinclair a Fryxell (1985) a Krebs a Coe (1985) dyma un o'r ffactorau mwyaf arwyddocaol. Gyda dyfodiad y ffynhonnau hyn, newidiwyd patrwm byw y brodorion o fod yn amaethwyr crwydrol yn y traddodiad oesol i ymgartrefu o amgylch y ffynhonnau hyn. Pwysleisir y ffaith mai'r ffordd orau un i fanteisio ar y sychdiroedd yw'r elfen amaethyddol grwydrol. Rhoddir enghraifft o'r wildebeest ar wastadiroedd y Serengeti yn crwydro'n flynyddol o ardaloedd y glawogydd trymion i'r sychdiroedd fel sy'n bodoli yn y Sahel. Un o nodweddion ecolegol mwyaf trawiadol y gwastatiroedd sych ydyw tyfiant tymhorol y porfeydd wedi'r glaw. Nodweddir y rhan fwyaf o'r porfeydd hyn gan rywogaethau arbennig o laswellt sy'n eu sefydlu eu hunain o had bob blwyddyn. A chyda'r tyfiant ifanc yn faethlon ac yn flasus, y mae'r anifeiliaid yn ffynnu. Wrth i'r hinsawdd sychu yn dymhorol ac i'r porfeydd grino, symud ydyw hanes yr anifeiliaid a'u perchenogion i safleoedd yn cynnwys rhywogaethau eraill o laswellt mwy parhaol yn ardaloedd y glawogydd trymion. Bu'r symudiadau hyn ar dro am genedlaethau ac ymddengys fod cydbwysedd ecolegol clòs wedi ei sefydlu rhwng y porfeydd a'r anifeiliaid. Dyma gnewyllyn y traddodiad ecolegol oblegid rhydd y symud gyfle i'r glaswellt adennill ei dyfiant gan fwrw had ar gyfer y tymor sy'n dilyn. Gyda dyfodiad y ffynhonnau newydd a gloddiwyd yn yr ardaloedd sych, torrwyd ar y traddodiad symudol. Aros o amgylch y cronfeydd dwfr newydd ydyw'r drefn bellach. Ac wrth i'r gwartheg bori drwy'r flwyddyn yn yr ardaloedd sych, collwyd y cyfle i'r glaswellt adennill ei nerth ac ailsefydlu drwy had. Crewyd diffeithleoedd ar raddfa ehangach na chynt.

Ffactor bwysig arall yn y sefyllfa fregus hon ydyw fod y glawogydd wedi methu dros gyfnodau maith. Bu hyn yn nodweddiadol iawn o'r blynyddoedd diwethaf. Ac y mae lle i gredu bod y newidiadau yn y dulliau sylfaenol o ddefnyddio'r tir yn effeithio'n glir ar yr hinsawdd. Heb fanylu'n ormodol ar y nodweddion ffisegol, y ddadl ydyw fod y dinoethni cynyddol dros arwynebedd eang o dir yn peri i'r amgylchedd beidio ag ennyn ond ychydig iawn o awelon a lleithdra i'w cludo i'r ffurfafen i gronni fel glaw. Ond mewn ardaloedd o'r ddaear wedi eu gorchuddio â thyfiant porfaol, y mae wyneb y tir yn cynhesu yn fuan a daw hynny ag awelon cryfach yn eu tro i godi'r lleithdra a ddaw o'r borfa i'r uchelderau ac yno ffurfio cymylau o law. Gellir dadlau yn gryf mai'r dulliau traddodiadol o amaethu gyda symudiadau tymhorol y brodorion a'u da byw ydyw'r dewis gorau yn y rhannau hyn o'r trofannau, a bod rhaid i unrhyw welliant i gynyddu'r cynnyrch, boed borthiant i anifail neu gnwd i'w allforio, dderbyn y drefn draddodiadol ac ymsefydlu arno. Rhaid cadw'r agweddau ecolegol a phriodoleddau hinsoddol yr ardaloedd beunydd yn y cof wrth geisio datrys problemau gwledydd y trofannau gan gofio bod y cydbwysedd rhwng y brodorion a'u hamgylchfyd yn eithriadol o fregus a main. Ac yn rhyfedd iawn, dyma ydyw'r farn bendant a sylweddolwyd o'r diwedd gan Wolf (1987) yng nghylchgrawn swyddogol Bwyd ac Amaethyddiaeth Gyfundrefnol y Cenhedloedd Unedig.

Rhaid cadw yn y cof hefyd elfen arall bwysig iawn ar y broblem. Fel y nodwyd eisoes, bu cynnydd eithriadol ym mhoblogaethau'r gwledydd trofannol yn ystod y ganrif hon. Priodolir hyn i raddau pell iawn i'r llwyddiant a fu ym myd meddygaeth i ddileu llawer o afiechydon cynhenid a chyffredinol y trofannau. Efallai nad dyma'r lle i fanylu, ond o safbwynt newyn, rhaid pwysleisio un agwedd yn arbennig. Wrth i'r poblogaethau gynyddu'n gyson, gorfodir rhai aelodau yn y gymdeithas i symud a sefydlu yn finteioedd mewn ardaloedd ymylol a llai cynhyrchiol o safbwynt cynhaliaeth. Methiant fu llawer ymgais i liniaru'r sefyllfa ac i ychwanegu at y cyflenwadau prin o luniaeth ar gyfer dyn ac anifail. Ymledodd y newyn a'r crwydro diobaith.

Ac o sylweddoli a derbyn ystadegau a damcaniaethau'r demograffwyr y bydd poblogaeth y byd wedi dyblu o fewn can mlynedd, yr hyn sy'n peri y dychryn mwyaf un ydyw fod naw o bob deg o holl enedigaethau presennol y ddaear i'w lleoli yn y gwledydd hynny sydd fwyaf anaddas yn ecolegol i gynhyrchu lluniaeth ychwanegol ar eu cyfer. Amcangyfrifir y bydd poblogaethau'r Sahel wedi dyblu o fewn yr ugain mlynedd nesaf, a hynny er gwaethaf y newyn presennol a'i ganlyniadau erchyll.

Yr ydym yn prysur ddyfod i'r sefyllfa pan na all cynnyrch amaethyddol y byd, er mor llwyddiannus y tybir y gall fod, fyth ymateb yn llawn i'r sialens. Yn y pen draw nid oes amheuaeth mai'r unig ateb ydyw polisi byd eang o atal cenhedlu. Ofer ydyw meddwl am unrhyw ragfarn grefyddol neu foesol i wrthsefyll yn erbyn gweithredu polisi o'r fath. A pha beth bynnag ydyw'r anawsterau, fe ddylid eu trafod nes eu datrys. Credaf fod y cyfrifoldeb dyfnaf yn disgyn ar y ddynoliaeth ac yn arbennig felly ar ysgwyddau yr Eglwys Gatholig i wynebu'r sefyllfa yn ei holl gysylltiadau.

Cyfyd y sefyllfa bresennol ddadl fawr arall ym myd crefydd. Fe fu cyfnod pan oedd crefyddwyr yn llwyr gredu bod y Goruchaf yn rheoli Ei holl gread a bod Ei 'ddirgel ffyrdd yn dwyn ei waith i ben'. Daeth trai ar y syniad pantheistaidd hwn oherwydd anodd iawn bellach ydyw priodoli'r sefyllfa bresennol i benarglwyddiaeth Duw. Yn wir, daeth lle i gredu erbyn hyn fod yr agweddau traddodiadol o'n crefydd yn dramgwydd i ddyn wrth iddo geisio dal ei afael yn ei gredo a'i ffydd ar y naill law, a syllu a cheisio datrys problemau dyrys y trydydd byd ar y llall. Nid hawdd ydyw dirnad y dioddef, y newyn a'r marwolaethau a ddaw yn uniongyrchol o ganlyniad i'r elfennau naturiol a'r ffactorau hinsoddol ac ecolegol y soniwyd amdanynt eisoes, a'r ffaith fod cymaint o'r ddynoliaeth bellach yn rhygnu byw a cheisio bodoli o gwbl o dan amgylchiadau mor ddychrynllyd o anodd a dyrys. Yr unig eglurhad sydd yn cael ei gynnig gan uchel swyddogion yr Eglwys ydyw fod holl bwrpas Duw yn y cread tu draw i ddirnadaeth dyn. Yn ôl y ddysgeidiaeth draddodiadol erys y byd heb ei ddeallt oherwydd bod Creawdwr y ddaear goruwch dealltwriaeth y creadur dynol a'i resymeg. Rhaid cydnabod wedyn na all dyn fyth ymchwilio i ffyrdd y Goruchaf a'i feddylfryd. Ei unig gysur ydyw rhyfeddu at bopeth a grewyd gan y Goruchaf hyd yn oed os ydyw hynny yn peri poen, diflastod a dioddefaint i filiynau o fforddolion ein daear.

Nid oes i mi unrhyw gysur wrth geisio derbyn damcaniaeth o'r fath. Yn wir nid ydyw meddwl ar linellau fel hyn bellach yn ychwanegu yr un mymryn tuag at gadarnhau ffydd a chredo. Yn hytrach credaf fod damcaniaethau ynglŷn â gorlywodraeth Duw dros y cread yn pellhau dynion heddiw o galon a chraidd eu ffydd a'u harwain i anobaith wrth iddynt geisio eu cyfannu. Onid oes dadl gref bellach mai gorau po gyntaf y bydd i gredinwyr ddyfod i'r afael a'r egwyddor nad oes a wnelo cnewyllyn y ffydd Gristnogol ddim mewn gwirionedd a'r syniad oesol o ben arglwyddiaeth Duw ar y byd naturiol o'n cwmpas? Er i ddatganiad o'r fath ymddangos yn gwbl gableddus ar y wyneb, ni chredafei fod yn diddymu na thynnu dim oddi wrth graidd a gwirionedd ein ffydd. Yn y pen draw y mae Arglwyddiaeth yr Iesu a'i sialens yn ei Efengyl a'i Deyrnas mewn dimensiwn hollol wahanol ac yn llawn arwyddocâd a gobaith i ddynion heddiw o'i gymharu â'r gred oesol o benarglwyddiaeth draddodiadol Duw dros y cread.

Y Traethodydd, Hydref 1988

CYFEIRIADAU

Krebs a Coe, M. J. (1985), *Sahel Famine: An ecological perspective.* Nature 317. Llundain.

Masefield, G. B. (1950), *A short history of Agriculture in the British Colonies.* Gwasg Prifysgol Rhydychen.

Sinclair a Fryxell (1985), *The Sahel of Africa: ecology of a disaster.* Can. J. Zooleg 63, 987-994.

Wolf (1987), *Mimicking nature.* Ceres 20, 20-23.

'CAEL DUW YN DAD'

Beth tybed fu ymateb darllenwyr *Y Goleuad* i'r ysgrifau yn dwyn y teitl 'Lledu Gorwelion' sydd wedi ymddangos o bryd i'w gilydd? Hyd y gwn i, ni fu neb yn ddigon dewr na pharod i anfon unrhyw fath o gymeradwyaeth neu feirniadaeth. Lledwyd gorwelion ein crefydd ymhell tu draw i'r terfynau traddodiadol.

YNYSU CREFYDD

Yn hyn o beth, saif ysgrif y Parchedig Meirion Lloyd Davies ymhlith y mwyaf chwyldroadol gan iddi drafod y ddadl waelodol o fodolaeth Duw. Ni chredaf y gall neb ohonom, boed yn ddiwinydd, yn wyddonydd, yn faterolwr neu yn ddyneiddiwr fyfyrio a threiddio'n ddyfnach i wir natur a sylwedd crefydd. Ar ddechrau ei ysgrif, y mae Mr. Davies yn pwysleisio bod 'gan athroniaeth iaith wersi pwysig i'w dysgu i grefydd' ac fod 'i iaith crefydd ei rhesymeg a'i hystyr ei hun.' O ganlyniad daw'r awdur i'r casgliad mai difudd ydyw synio am iaith o'r fath fel un sy'n gyfystyr â iaith gwyddoniaeth. Dyma mi gredaf, ydyw un o drafferthion mawr ein cyfnod wrth i ni fel crefyddwyr geisio datrys y tensiynau sydd cydrhwng crefydd ar y naill law a'r dehongliadau biolegol, genetegol ac esblygiadol ar y llall. Ac fel y dywed Mr. Davies, hawdd iawn ydyw syrthio i'r fagl o ynysu crefydd a'i gyrru i ymylon bywyd.

Yn sicr ddigon, tiriogaeth yr athronydd a'r diwinydd fu'r maes crefyddol am genedlaethau. A chan ein bod bellach yn byw mewn cyfnod o ddatblygiadau pell-gyrhaeddol ym myd bioleg a geneteg, credaf fod rheidrwydd gwirioneddol i ddod i'r afael â'r holl astudiaethau hyn bellach.

Seiliodd Mr. Davies ei ysgrif i raddau pell ar rai o astudiaethau Richard Swinburne, Athro Athroniaeth y Ffydd Gristnogol yn Rhydychen a chawn ein tywys ganddo yn fyr drwy saith o gyfrolau sylfaenol yr Athro. Nid wyf wedi darllen y cyfrolau hyn, ond fel y digwyddodd yr oeddwn yn ymlwybro drwy lyfr diweddaraf Swinburne, *Is there a God?* pan ymddangosodd ysgrif Mr. Davies. Gan nad wyf yn athronydd, efallai mai annoeth ydyw ymateb o gwbl i'r ysgrif. Ond wrth i Mr. Davies awgrymu mai doeth fyddai cael barn wyddonol ar ymresymiad Swinburne, mentraf gyflwyno rhai syniadau a ddaeth yn eglur i mi wrth ymlwybro drwy'r gyfrol.

DUW HOLLALLUOG AC ESBLYGIAD

Ei phrif thema ydyw trafodaeth ar y rhesymau dros fodolaeth Duw. Gwneir hyn o safbwynt crefydd y Gorllewin a Christnogaeth yn arbennig. Dyma a eilw Swinburne yn ddehongliad theistaidd ac fe ddadleur fod y safbwynt yma yn well eglurhad o'r cyfan a welir, a wybyddir ac a brofir yn y byd mawr o'n cwmpas ac yn gwneud y synnwyr gorau allan o'r cyfan. Y mae yn egluro paham bod y bydysawd yn bodoli o gwbl, fod deddfau gwyddonol yn weladwy ac yn gweithredu o'i mewn ac mai'r unig ffordd i egluro'r cyfan oll yn *rhesymegol* ydyw drwy weithgareddau Duw. Pwysleisir bod i Dduw bwerau sydd yn annherfynol, ei fod yn hollalluog, yn holl wybodol ac heb derfynau iddo.

Fy anhawster i yn y cysylltiadau hyn ydyw cysoni y dehongliadau yma a'r hyn a wyddom am esblygiad bywyd ar ein daear. Bellach y mae'r ddamcaniaeth esblygiadol wedi ei phrofi yn gywir a thu hwnt i bob amheuaeth. Cynyddodd y prawf i'r fath raddau fel mai gwastraff amser heddiw ydyw ymchwilio i ddarganfod mwy o brofion. Rhagorfraint fawr esblygiad ydyw dangos sut y datblygodd bywyd yn ei amryfal ffyrdd. Bellach amcangyfrifir bod mwy na thair miliwn ar ddeg o rywogaethau yn bodoli â phob un ohonynt yn addasu i ryw *niche* arbennig yn yr amgylchfyd. Y mae'r holl broses o dan ddewisiad naturiol, ond bu trychinebau – a dyma'r paradocs. Methwyd ymaddasu gan lawer o'r rhywogaethau a ddaeth i fod. Trengi fu eu hanes. Nid hawdd ydyw dychmygu'r gwastraff a'r methiant a fu yn nhreigl amser. Y gwir ydyw nad oes unrhyw dystiolaeth fod i esblygiad lwybr penodedig wedi ei ordeinio yn yr arfaeth fawr ac sydd yn arwain i lwyddiant un math o fywyd wrth iddo ymledu i bellafoedd ein daear. Sut yn y byd y mae priodoli proses o'r fath i Dduw a gyfrifir gan Swinburne yn hollalluog, yn berffaith yn ei waith ac yn gwbl wybodus?

Fe ddaw yr un cymhlethdodau i'r wyneb wrth feddwl yn arbennig am y creadur dynol. O dderbyn iddo ef gyrraedd ei ddynoldeb wrth esblygu oddi ar greaduriaid nad oeddynt yn ddynol, i ba raddau y gellir dal i lynu wrth y gred iddo gael ei lunio ar ddelw'r Duw goruchaf a dyfod yn greadur byw wrth i Dduw anadlu yn ei ffroenau anadl einioes? Yn ei esblygiad, ymgorfforodd y creadur dynol briodoleddau a gyfrifir yn gwbl unigryw i'w ddynoldeb. Yn eu plith rhestrir meddwl symbolaidd, deallusrwydd, iaith, a'r gallu i feddwl yn haniaethol ac i ymresymu. Hwyrach mai'r nodweddion mwyaf tyngedfennol sydd ganddo ydyw yr ymwybyddiaeth ohono'i hun a'i farwolaeth. Oddi ar y priodoleddau hyn y daeth dyn yn ei esblygiad i goleddu syniadaeth a'i dyrchafodd tu hwnt i'w dynged ddaearol. Cyfyd y syniad fod gan ddyn enaid a'r enaid hwnnw yn dragwyddol oddi ar un o'i anghenion dyfnaf – osgoi marwolaeth. Nid ydyw Swinburne yn anelu ei ymresymiad yn nannedd hyn oll. Ac o fyfyrio yn ei gyfrol a cheisio dilyn ei ddadl *resymegol* dros fodolaeth Duw, cefais yr ymdeimlad fwy nag unwaith y gellir derbyn y gosodiad mai creadigaeth dyn ydyw Duw. Ar adegau, byddaf yn ofni bod y ddadl yma yr un mor rhesymegol â'r gred mai creadigaeth Duw ydyw dyn.

Efallai mai'r prif reswm dros yr anawsterau a gyfyd wrth feddwl am yr egwyddorion hyn ydyw'r ffaith y gellir profi neu wrthbrofi pob damcaniaeth wyddonol. Rhagorfraint gwyddor ydyw'r sicrwydd arbrofol a'r agweddau cynyddol sy'n perthyn iddi. Nid yw hyn yn bodoli ym myd crefydd – yn wir os gall arbrawf wireddu dilysrwydd datganiad o unrhyw fath, gellir dadlau yn gryf nad oes sail grefyddol i'r datganiad hwnnw. Y mae profiadau crefyddol o ran eu natur yn sylfaenol wahanol. Ond fel yr awgrymais yn barod ni all hyd yn oed ddamcaniaethau crefyddol ddal eu tir wyneb yn wyneb â threfn esblygiad bywyd a brofwyd yn ffeithiol gywir.

Yn y cysylltiadau hyn, y mae Mr. Davies yn ei Ddarlith Davies a gyhoeddwyd yn ddiweddar, yn tynnu sylw at yr anfodlonrwydd presennol ynglŷn â theistiaeth ac fod athroniaeth neu ddiwinydd-iaeth proses yn fwy cyson â'r syniadaeth esblygiadol ynglŷn â bywyd. O leiaf y mae ymgais yma gan ladmeryddion y ddiwinydd-iaeth hon fel A. N. Whitehead ac eraill i dderbyn esblygiad bywyd ac i geisio uniaethu crefydd â'r syniadaeth o fodolaeth Duw ynghlwm wrth Ddarwiniaeth fodern. Serch hynny nid ydyw diwinyddiaeth proses yn egluro'r cyfan sydd yn dilyn oddi wrth y gred mewn esblygiad fel y nodwyd eisioes.

DATGUDDIAD IESU

Tybed fy mod yn cyfeiliorni wrth fentro awgrymu y dylem geisio amgyffred o'r newydd y syniadaeth o Dduw? Fel Cristnogion ein hymrwymiad dyfnaf ydyw dilyn y datguddiad o Dduw a roddodd yr Iesu. Yr hyn sy'n gwbl ganolog yn ei ddysgeidiaeth ydyw'r pwyslais a roddir ar Dadolaeth Duw. Y mae geiriau'r Iesu am Dduw'r Tad yn britho ei ymadroddion. Ychydig iawn o gyfeiriadau sydd am Dduw fel 'Creawdwr cyrrau'r ddaear' a bod dyn wedi ei greu ar ddelw'r Duw hwnnw. Yn hytrach, fe ddatguddiodd yr lesu ddimensiwn hollol unigryw o Dduw i'w ddilynwyr. A mwy na hynny, fe uniaethodd ei hun â'r Tad a dangos y ffordd i'w ddilynwyr adnabod y Tad. Meddai'r Iesu 'Nid yw neb yn dod at y Tad ond trwof i. Os ydych wedi f'adnabod i, byddwch yn adnabod y Tad hefyd.' Ac yna, 'Nid oes neb yn adnabod y Mab ond y Tad, ac nid oes neb yn adnabod y Tad ond y Mab a phwy bynnag y mae'r mab yn dewis ei ddatguddio iddo.' I'r Cristion dyma'r datguddiad eithaf o fodolaeth Duw. Yn ei gyfrol, nid ydyw Swinburne yn sôn o gwbl am yr egwyddorion hyn. Yn y byd sydd ohoni, 'her a thasg fwyaf yr Eglwys Gristnogol ydyw dyfod o hyd i ffordd gredadwy a derbyniol o feddwl am Dduw,' meddai Mr. Davies ar ddiwedd ei Ddarlith. Credaf mai'r ffordd a ddangosodd yr Iesu sy'n gwbl atebol ac i'r Cristion y mae'r datguddiad a roddwyd yn derfynol. I mi, erys hynny hefyd yn gyson â chyraeddiadau esblygiadol dyn. Y mwyaf gogoneddus ohonynt ydyw i ddynion anelu ac ymgyrraedd i fod yn feibion i Dduw'r Tad drwy Grist.

Y Goleuad, 1997

CYFEIRIADAU

Davies, Meirion Lloyd (1996), *Y Goleuad.*

Swinburne, Richard (1996), *Is There a God*? Rhydychen.

DYSGU'R FFYDD

Nid oes amheuaeth o gwbl ymysg gwyddonwyr a chrefyddwyr fel ei gilydd ddarfod i grefydd chwarae rhan hanfodol a thyngedfennol yn natblygiad y ddynoliaeth. Daeth yr ymwybyddiaeth o grefydd i'r amlwg yn gynnar iawn i ddyn yn ei esblygiad oddi wrth greaduriaid nad oeddynt yn ddynol. Nid oes sicrwydd pendant pryd y digwyddodd hyn oherwydd y mae i grefydd amryw ddelweddau sy'n gwbl wahanol o ran eu natur. Serch hynny, ni ellir dadlau nad oes a wnelo'r elfen o hunanymwybyddiaeth â tharddiad crefydd yn ei hamryfal ffyrdd ac y mae'n amlwg mai dros genedlaethau lawer y digwyddodd hyn. Yn ddiddadl, y dirgelwch mwyaf un ynglŷn â'r creadur dynol a'i esblygiad ydyw ffynhonnell ei hunanymwybyddiaeth.

Yn draddodiadol, coleddwyd y syniad fod Duw wedi amlygu ei hun mewn 'llawer dull a modd'. Serch hynny, yr oedd yn anhepgor i'r creadur dynol gael ei gyflyru i dderbyn syniad o'r fath. Yn esblygiadol, daeth i feddwl a chalon dyn y gallu a'r awydd ac yn fwyaf arbennig, y medrusrwydd i gredu ac i ddeall. Onid oddi ar nodweddion cynhenid o'r fath y datblygodd holl wareiddiadau'r byd a'u priodoleddau diwylliannol a chrefyddol? Ymgais ydyw pob un ohonynt yn y bôn ac yn ddiwahân i addasu ar gyfer bywyd a'r amgylchfyd. O dipyn i beth, ond yn sicr ddigon, daeth crefydd, pa mor gyntefig bynnag fu ar y cychwyn, i chwarae ei rhan ar lwyfan mawr esblygiad y creadur dynol. Ac wrth i ddyn gynyddu yn ei hunanymwybyddiaeth, daeth crefydd i ddylanwadu fwyfwy ar ei ddatblygiad.

Ar wahân i'r gred fod Duw wedi'i amlygu ei hun i ddyn, nid oes amheuaeth o gwbl, o edrych yn ôl ar y datblygiad crefyddol dros ddwy fil o flynyddoedd a mwy, mai'r pwerau cryfaf eu dylanwad oedd y cartref a'r eglwys. Ar y sylfeini hyn y daeth dyn a'i hiliogaeth i ddysgu am y ffydd Gristnogol a'r traddodiad crefyddol a oedd yn gynwysedig ynddi. Ac er i effeithiau'r meddwl a'r tueddfryd gwyddonol ar ôl i Darwin gyhoeddi ei ddamcaniaeth esblygiadol ddylanwadu ar rai agweddau ar y ffydd, ni welwyd lleihad mawr yn nifer poblogaeth Prydain oedd yn ymwneud â chrefydd hyd yn oed yn ei ffurfiau traddodiadol. Parhaodd cyfran helaeth o'r boblogaeth yn aelodau eglwysig. Magwyd sawl cenhedlaeth o blant yn awyrgylch yr oedfa, yr ysgol Sul, y seiat, cyfarfodydd gweddi a'r dosbarthiadau darllen. Dyma oedd y dyletswyddau naturiol a'r canllawiau hanfodol i ddatblygiad aelodaeth gyflawn o eglwys a'r unig lwybr i adnabyddiaeth o'r ffydd Gristnogol. Y camau cyntaf oedd gwybod am fywyd a dysgeidiaeth yr Iesu drwy'r Testament Newydd a hynny yn ei dro yn arwain i ymwybyddiaeth o egwyddorion y ffydd Gristnogol a'u harwyddocâd mewn bywyd. Dylanwadodd y rheini a'r awyrgylch deuluol dros lawer cenhedlaeth ar ymateb to ar ôl to o blant yn eu blynyddoedd cynnar ac wedyn fel aelodau o'r gymdeithas, mewn llan a chapel.

Rhaid cydnabod mai'r uned deuluol yw'r hynaf a'r mwyaf parhaol o holl sefydliadau cymdeithasol y ddynoliaeth. Ond o gofio ei sefydlogrwydd, nid ydyw hynny ynddo'i hun yn rheswm digonol dros gredu nad oes newid yn digwydd yn esblygiad yr uned. Y mae'n wir fod nifer mawr o wahaniaethau yng ngwead yr adeiladwaith teuluol i'w canfod dros genedlaethau, ond er hynny bu'n uned waelodol a phwysig i esblygiad y ddynoliaeth. Ymddengys fod rhesymau biolegol cadarn dros hyn. Un ohonynt, ac efallai'r pwysicaf, ydyw'r ffaith fod aelodau newyddeni y ddynoliaeth yn gwbl ddiymadferth ac yn hollol ddibynnol ar eu rhieni dros flynyddoedd cynnar eu bywyd. Yn wir, ni ellir pwysleisio'n ormodol bwysigrwydd cyflwr diymadferth y plentyn dynol a'i ddibyniaeth lwyr ar ei fam a'i deulu. Enynnodd hyn yn y newyddanedig y gallu genetigol i ddatblygu yn fodau a'r medr ganddynt i foesegi ac i drosglwyddo o genhedlaeth i genhedlaeth sylfaen safonau diwylliannol a moesol. Yr hyn sydd yn syfrdanol erbyn heddiw ond yn peri dychryn ydyw'r ffaith anorfod fod yr uned deuluol draddodiadol, bellach, yn dechrau dadfeilio ac yn colli ei dylanwad. Yn wir, dengys rhai ystadegau a gyhoeddwyd yn ddiweddar fod y newid yn fwy chwyldroadol nag a feddylid. Amcangyfrifir bod ym Mhrydain oddeutu can mil o blant yn eu harddegau yn gadael eu cartrefi bob blwyddyn i geisio dod i'r afael â'u hannibyniaeth. Yn ychwanegol at hyn, mae'r ffigurau a gyhoeddwyd gan y Ganolfan Astudiaethau Teuluol yn profi bod cynnydd cyson yn nifer y cartrefi un rhiant ym Mhrydain. Amcangyfrifir mai hanner nifer yr holl blant yn unig a fydd dan ddylanwad dau riant yn y cartref erbyn diwedd y ganrif. Anodd ydyw dirnad yr effaith a gaiff hyn ar genedlaethau'r dyfodol, ond ymddengys y bydd y dylanwadau moesol a chrefyddol a drosglwyddwyd gynt gan y rhieni yn myned yn llawer iawn llai eu harwyddocâd yn natblygiad y plentyn.

Bellach, cyfyd yr un broblem yn y cartrefi dau riant hwythau. Gyda'r awydd cynyddol i gadw safonau materol bywyd heb lithro, ymddengys ei bod yn ofynnol bellach i'r ddau riant fod mewn swyddi llawn amser. Wedi diwrnod o waith ar ran y fam a'r tad, nid oes gan y naill na'r llall yr egni angenrheidiol nac ychwaith yn aml yr awydd i addysgu eu plant fel cynt. Ac wrth i'r agweddau hyn fodoli dros ddwy genhedlaeth a mwy, buan iawn y bydd dylanwadau traddodiadol gorau'r cartref, heb sôn am yr agweddau Cristnogol, wedi eu colli'n llwyr.

Wrth i effaith sylfeini crefyddol y cartref leihau yng nghyfnodau magwraeth a datblygiad cynnar yr ifanc, ni chredaf fod addysg grefyddol yn yr ysgolion dyddiol yn cael yr un dylanwad heddiw o'i gymharu â chynt. Er hynny, ac ar wahân i astudiaethau crefyddol fel pwnc, cynhelir o hyd wasanaethau byr o addoliad yn ôl Deddfau Addysg 1944 a 1988. Yn y gorffennol sylfaenwyd y gwasanaethau hyn ar y ffydd Gristnogol. Efallai mai prin ar y pryd oedd eu dylanwad ar y plant, ond nid oes amheuaeth, yn fy nhyb i, fod eu cysondeb o ddydd i ddydd drwy gydol tymhorau ysgol yn cael ryw gymaint o ddylanwad, a'u bod yn atgoffa'r plentyn fod i addysg ddyddiol hithau ei chefndir crefyddol os nad Cristnogol. Yr oedd cysylltiad rhwng gwasanaethau boreol yr ysgol ddyddiol a'r hyn a drosglwyddid i'r plant yn yr Ysgol Sul a'r dosbarthiadau darllen o fewn yr eglwys a'r capel. Yn anymwybodol bron yr oedd y plant yn meithrin rhyw fath o ymwybyddiaeth grefyddol. Ac er nad oedd hynny ar y pryd efallai'n golygu rhyw lawer iddynt, yr oedd siawns i'r cyfan adael ei ôl ac i'r plant gael eu meithrin i fod yn deilyngach aelodau o'r gymdeithas. Ar wahân i'r gwasanaeth boreol fel cyfrwng addoliad, cynigir astudiaethau beiblaidd fel pwnc ynddo'i hun. Yn ystod y blynyddoedd diwethaf hyn, bu cryn dipyn o drafod ynglŷn â lle priodol addysg o'r fath a'i bwrpas pennaf. Hawdd iawn ydyw dadlau yn gryf o blaid ei bwysigrwydd yn y cwricwlwm cenedlaethol ar wahân i'w arwyddocâd crefyddol a moesol. Ond beth mewn gwirionedd ydyw gwir bwrpas addysg feiblaidd yn y byd sydd ohoni heddiw? Y mae lle i amau bod plant sydd yn gadael yr ysgol bellach yn llai ymwybodol o'u cefndir crefyddol na'u rhagflaenwyr er bod llawer ohonynt wedi eu haddysgu yn y pwnc.

Yn draddodiadol, efallai, onid prif bwrpas addysg grefyddol yn ein hysgolion oedd meithrin ein plant yn egwyddorion sylfaenol y ffydd Gristnogol gan obeithio y byddai i'r disgyblion fagu yn araf yr awydd a'r ymdeimlad i bwyso a chloriannu'r ddysgeidiaeth a'i phrofi i fod yn argyhoeddiad byw a pharhaol yn eu bywyd? Prin y gellir disgwyl i hyn ddigwydd heddiw, ond credaf mai camgymeriad ydyw edrych ar addysg grefyddol yn ein hysgolion fel casgliad o ffeithiau moel yn ymwneud â'r ffydd Gristnogol heb fawr ddim arwyddocâd ychwanegol iddynt. Dylid ceisio datblygu a meithrin argyhoeddiad Cristnogol yn y gwersi. Efallai nad oes yr un awydd ymysg athrawon beiblaidd yn ein hysgolion i ymgymryd â'r agweddau hyn ar eu testun gan nad oes bellach yr un argyhoeddiad a'r ymdeimlad i wneud hynny ganddynt hwythau. Credaf nad ydyw athrawon beiblaidd yn ein hysgolion yn awyddus i'w huniaethu eu hunain ag ymrwymiad o'r fath oherwydd na chawsant hwythau'r cyfle i feithrin profiadau tebyg ym mlynyddoedd eu prifiant ar eu haelwydydd nac ychwaith pan oeddynt yn ddisgyblion ysgol eu hunain. Y perygl yma ydyw y gall addysg grefyddol yn hwyr neu'n hwyrach ddatblygu i fod yn ymdrwythiad peryglus a diysgog a hwnnw yn ei dro yn ddylanwad andwyol ar feddylfryd annibynnol plant ysgol ym mlynyddoedd dylanwadol eu prifiant.

Rhaid wynebu'r ffaith hefyd fod amryw o grefyddau eraill ar wahân i Gristnogaeth wedi eu sefydlu ym Mhrydain ers rhai blynyddoedd bellach a'u bod ar gynnydd. Y mae'n ofynnol i'r ffydd Gristnogol gydochri â hwy bellach. Dyma sefyllfa na freuddwydiodd ein cyndadau yn y ffydd amdani o gwbl ac efallai nad ydym ninnau heddiw yn sylweddoli ei oblygiadau yn llawn. Er bod ein deddfau addysg yn awgrymu y dylid rhoddi y lle blaenaf i Gristnogaeth yn yr ysgolion, hyd y gwelaf nid oes gorfodaeth i gyfyngu'r addysgu i'r ffydd Gristnogol yn unig. Gyda'r cynnydd anorfod yn nifer plant sydd wedi eu geni i grefyddau eraill y byd yn ein gwlad, y mae cymhariaeth rhwng y gwahanol grefyddau yn anochel ac yn sicr o fod yn destun trafodaeth.

Ar hyn o bryd, ymddengys fod Prydain o hyd yn dal yn wlad Gristnogol yn y bôn. Ac er nad ydyw aelodaeth mewn eglwys a chapel yn adlewyrchu hynny, ategwyd y gosodiad o ganlyniad i sawl arolwg gan yr Awdurdod Darlledu Annibynnol wrth iddo ymchwilio i ddyfodol rhaglenni crefyddol drwy'r cyfryngau. Ymysg llawer o ystadegau diddorol, dengys yr arolwg diweddaraf (*Godwatching: Viewers, Religion and Television, I.B.A.* 1988) yr edrychir ar grefydd fel un o agweddau pwysicaf bywyd gan fwy na hanner y boblogaeth a bod tri chwarter y rhai a holwyd yn credu yn Iesu Grist fel mab Duw. O ganlyniad, credaf fod rheidrwydd ar ran athrawon ysgol a'r gyfundrefn addysg i ganolbwyntio ar y ffydd Gristnogol yn eu gwersi addysg grefyddol. Nid oes dim o'i le wrth gyferbynnu egwyddorion y ffydd â'r hyn sy'n waelodol mewn crefyddau eraill ond dylid canolbwyntio ar y ffydd Gristnogol fel crefydd a ddylanwadodd yn eithriadol ar ein diwylliant a'n moes fel gwareiddiad dros genedlaethau'r gorffennol a chanddi ran hanfodol i lywio gwareiddiad y gorllewin i'r dyfodol.

Ni chredaf ychwaith fod dysgu'r ffydd i'r graddau fod plant ysgol yn cael eu trwytho yn y gwirioneddau sylfaenol a'u hargyhoeddi, mor beryglus ag y tybir gan lawer o bryd i'w gilydd. Y mae llawer yn erbyn y syniad o ymdrwythriad o unrhyw fath ymysg plant a bod hyn yn groes i ddelfrydau uchaf y system addysg. Ymddengys mai'r ddelfryd ydyw cyflwyno'r ffeithiau moel gan adael i'r plant feithrin argyhoeddiadau drostynt eu hunain heb unrhyw berswâd allanol. Efallai fod yr elfen hon wrth addysgu crefydd wedi datblygu o'r pwyslais a roddir heddiw ar yr agweddau arbrofol ar ddysgu'r gwyddorau. Yn arbennig felly yn y gwyddorau biolegol, cymhellir y disgyblion i arbrofi drostynt eu hunain drwy brosiectau a chynlluniau i amlygu egwyddor. Ni chredaf fod techneg o'r fath yn briodol wrth addysgu crefydd gan fod i Gristnogaeth, fel pob crefydd arall ei sylfeini nad oes arbrofi arnynt. Derbynnir hwy fel agweddau annatod o'r ffydd. Yn hyn o beth, cyfyd un gwahaniaeth mawr rhwng ymatebiad y Cristion sy'n glynu wrth sylfeini ei gred ar un llaw a'r gwyddonydd ar y llaw arall sydd beunydd yn arbrofi ac yn ymchwilio.

Cydnabyddir bod gwirioneddau'r efengyl Gristnogol yn hollol ddisigl. Nid oes newid arnynt a hynny oherwydd iddynt gael eu seilio ar fywyd ac ymadroddion yr Iesu. Y mae'n wir fod amryw o ddehongliadau newydd yn cael eu cynnig ar rai agweddau o'r ffydd o bryd i'w gilydd ac efallai bod gormod o bwyslais yn cael ei roddi ar rai gwirioneddau traddodiadol y ffydd nad oes a wnelont fawr ddim yn y bôn â chraidd y ffydd Gristnogol. Er hynny, erys y gwirioneddau sylfaenol yn ddigyfnewid. Ar y llaw arall un o briodoleddau pwysicaf pob gwyddor ydyw yr ymchwilio beunydd am wirioneddau ychwanegol. Y mae'r gwir wyddonydd yn hollol barod i newid ei ddaliadau a'i ddamcaniaethau yng ngoleuni pob gwybodaeth newydd. Sylfeinir pob damcaniaeth a chredo gwyddonol ar dystiolaeth arbrofol y gellir ei gwireddu a'i chadarnhau neu ei phrofi'n anghywir gan unrhyw un sy'n dymuno gwneud hynny drwy gyhoeddi ei ddulliau arbrofol a chanlyniadau ei ymchwil yn deg i'r byd.

Ni chredaf fod y gwahaniaeth sylfaenol yma wedi ei lawn sylweddoli gan grefyddwyr yn gyffredinol. Credaf fod hyn yn dramgwydd yn y frwydr i geisio adennill i Gristnogaeth y to ifanc yn ein hysgolion sydd yn cael eu trwytho yn anymwybodol bron heddiw yn y gwyddorau.

Y mae hyn yn arwain at agwedd arall ar y broblem sydd yn dylanwadu'n drwm ar ymateb yr ifanc o safbwynt addysg grefyddol a dysgu'r ffydd. Yn yr oes sydd ohoni, daeth rhesymeg a'r angen am i gadernid prawf ynglŷn â phopeth fod yn rhan hanfodol o weithgarwch yr oes yn ymarferol ac yn faterol. O ganlyniad, y duedd gynyddol ydyw ymateb i grefydd fel rhywbeth afresymol. Rheswm ac nid ffydd sydd bwysicaf bellach a gall dadl resymegol gywir fod yn hollol groes i hanfodion crefydd. Y mae craidd pob crefydd yn ymdrin â'r gwirioneddau hynny sydd y tu draw i ddirnadaeth ac efallai i amgyffrediad y meddwl dynol. Rhoddodd crefydd ryw ddimensiwn ysbrydol a goruwchnaturiol i fywyd, dimensiwn yn wir na all rheswm a gwyddor fyth ei gyrraedd na chyfrannu dim tuag ato. Dyma ddadl fawr Syr Peter Medawar. Nid oes amheuaeth ganddo ef fod gwyddoniaeth yn ei gwahanol ffurfiau yn sicr o fod yn anturiaeth fawr a gogoneddus – y fwyaf llwyddiannus a ddaeth erioed i ran dyn. Eto i gyd ym marn Medawar, erys rhai cwestiynau ynglŷn â'r natur ddynol a'i chyraeddiadau crefyddol nad ydynt o gwbl yn nhiriogaeth y gwyddonydd i'w datrys. Nid oes gan wyddoniaeth y dechneg briodol i fyned i'r afael â hanfodion crefydd ac ymateb dyn iddynt. Ni ellir gwneud arbrofion manwl a dadansoddi'r canlyniadau yn ystadegol gywir ym myd crefydd. O geisio gwneud hynny, cyll ffydd ei holl rinwedd 'Ffydd yw sicrwydd y pethau nad ydys yn eu gweled.'

Ond wedi dweud hynny, credaf y gall yr agwedd grefyddol heb ronyn o resymeg yn perthyn iddi ddatblygu i fod yn arf beryglus iawn yn y byd sydd ohoni. Dyma farn Richard Dawkins (1986) y genetegydd o Rydychen. Ei ddadl ef ydyw y gall ffydd ddatblygu i fod yn un o ddrygau mwyaf ein gwareiddiad. Pwy, meddai, o edrych ar yr helyntion diweddaraf yn y Dwyrain Canol, a all beidio â sylweddoli bod ffydd ddall mewn eithafwyr yn rym eithriadol o beryglus a chreulon yn y gymdeithas. Y mae profiadau crefyddol gonest yn dibynnu ar resymeg glir ei dadansoddiad wrth geisio eu cyflwyno i eraill.

Y nod a'r ddelfryd felly wrth geisio dysgu'r ffydd i eraill ydyw gosod y sylfeini Cristnogol yn glir gan wahaniaethu rhwng rhai agweddau o'r traddodiad crefyddol sydd bellach wedi eu gwrthbrofi gan wyddor ac nad oes a wnelont â chraidd y ffydd Gristnogol p'run bynnag. Ni chredaf fod cysylltiad o gwbl rhwng y ddamcaniaeth fod dyn wedi ei greu yn ôl adroddiad Llyfr Genesis – credo sydd wedi ei wrthbrofi yn bendant gan dystiolaeth wyddonol – a'r egwyddor o feithrin y ffydd Gristnogol ymysg disgyblion ysgol ac efrydwyr Coleg i'w galluogi i fod yn ddeiliaid yn nheyrnas yr Arglwydd Iesu ar y ddaear. Yn y pen draw, pwrpas pob addysg, boed yn ffurfiol gelfyddydol, wyddonol, grefyddol neu wedi ei sylfaenu ar argyhoeddiad brofiadol, ydyw meithrin a cheisio mabwysiadu a datblygu unigolion i ddyfod yn ymwybodol ac yn ymatebol i egwyddorion a gwerthoedd uchaf eu bodolaeth. I'r graddau hyn y gall yr ifainc dyfu i fod yn aelodau teilwng o'r gymdeithas y maent yn rhan ohoni. I'r graddau hyn hefyd, nid oes amheuaeth fod y ffydd Gristnogol a'r cyfan sydd ynghlwm wrthi wedi chwarae rhan hanfodol yn esblygiad y creadur dynol hyd at heddiw. Os cyll ein gwareiddiad y dylanwad hwn, fe fydd y golled yn amhrisiadwy. Onid oes lle i ofni bod hyn eisoes ar gerdded? Cyfrannodd yr Ysgol Sul hithau yn ei thro yn waelodol i feithrin plant yn y ffydd. Ac o dderbyn y plant yn gyflawn aelodau mewn eglwys a chapel wedi tymor arbennig mewn dosbarth penodol, daeth y plant i gymryd eu lle ymysg aelodau cyflawn yn yr eglwysi gan ymaelodi yn nosbarthiadau ysgolion Sul yr oedolion. Gyda'r athrawon yn hyddysg yn y meysydd llafur, cafwyd pob cyfle i drafod athrawiaethau ac i ddyfnhau profiadau. Nid hawdd ydyw mesur effaith y dylanwadau hyn ar ddatblygiad personoliaeth a sicrwydd argyhoeddiad. Bellach, er bod ysgolion Sul y plant yn ffynnu mewn llawer llan a chapel, trengodd ysgolion Sul yr oedolion i bob pwrpas. Drylliwyd y tyfiant naturiol a thorrwyd ar y broses o aeddfedrwydd profiad ymysg yr ifainc.

Hyd y gwelaf i, problem fwyaf yr holl eglwysi yn ddiwahân heddiw ydyw cadw'r ifanc o fewn eu muriau. Yn y cysylltiadau hyn, canfuwyd newid mawr o fewn llai na hanner canrif. Bûm yn aelod eglwysig mewn dinas Prifysgol yn y cyfnod pan oedd efrydwyr dau Goleg yn tyrru i'r oedfaon fore a nos Sul ac yn rhwydd lenwi oriel y capel. Cafodd llawer o bregethwyr y cyfnod y profiadol o dderbyn y sialens i gyflwyno'r efengyl i gynifer o ieuenctid ein gwlad. Bellach, eithriad ydyw gweled mwy na dyrnaid bychan iawn o ieuenctid Coleg yn yr oedfaon. Daeth terfyn ar ddau ddosbarth niferus a llwyddiannus iawn o fyfyrwyr ifanc yn yr Ysgol Sul. Diflannodd sêl yr ifanc at oedfa a chapel a chollodd yr eglwys hithau ei hatyniad iddynt.

Yn y degawd o efengylu sydd wedi ymagor o'n blaenau fel eglwyswyr, credaf mai ofer ydyw disgwyl i oedolion a fu gynt yn aelodau ffyddlon mewn capel ac eglwys ailafael. Y mae dyfodol yr eglwysi yn dibynnu i raddau pell iawn ar feithrin a chadw'r ifanc yn aelodau cyflawn drwy flynyddoedd eu ffurfiant. Onid dyma hefyd obaith y ffydd Gristnogol i'r dyfodol? Gan nad ydyw'r eglwysi bellach yn cadw'u haelodau ifanc o'u mewn, tybiaf fod angen gwirioneddol ac uniongyrchol i ymchwiliad manwl a thrylwyr i ymholi ynglŷn â gwrthgiliad yr ifanc. Hyd y gwelaf nid oes unrhyw wybodaeth nac ystadegau pendant ar gael yn dadansoddi'r rhesymau dros yr encilio. Onid doeth fyddai i holl lysoedd y gwahanol enwadau gydweithredu mewn ymchwil gynhwysfawr i holi pawb a dderbyniwyd yn gyflawn aelodau ac a drodd eu cefnau ar grefydd gyfundrefnol o fewn yr ugain mlynedd diwethaf a chael gwybod ganddynt eu rhesymau dros y gwrthgiliad? Fe all rhesymau o'r fath o'u dadansoddi'n ofalus, fod yn sialens o'r pwysigrwydd mwyaf i'r eglwysi i addasu eu gweithgareddau yn y gobaith o adennill ieuenctid ein gwlad a fagwyd ar aelwydydd crefyddol, yn ôl i'r eglwysi.

O edrych yn ôl ar y ffactorau cryfaf eu dylanwad ynglŷn â dysgu'r ffydd Gristnogol i ennyn argyhoeddiad ymysg yr ifanc – y cartref, y capel a'r ysgol yw'r carfanau pwysicaf. Os cyll y cartref ei ddylanwad yn llwyr ac os bydd yr ifainc yn cefnu ar gapel ac eglwys, ni ellir disgwyl i'r ysgol ddyddiol argyhoeddi'r ifanc o'u dyletswyddau crefyddol. I raddau pell, y mae'r tair carfan ynghlwm wrth ei gilydd gyda'r cartref yn gosod y sylfeini. Ni welaf ychwaith y bydd llewyrch ar grefydd gyfundrefnol i'r dyfodol. Credaf fod arnom fel crefyddwyr ac aelodau eglwysig y ddyletswydd eglwysig i feddwl ac i ymchwilio'n ofalus a difrifol iawn beth fydd effaith y golled ar ein gwlad.

Y Traethodydd, 1993

CYFEIRIADAU

Dawkins, Richard (1986), *The Blind Watchmaker*, Longmans.
Medawar, Peter (1985), *The Limits of Science*, Rhydychen.

'BETH YW GWIRIONEDD'?

Efallai nad ydyw pawb o ddarllenwyr *Y Goleuad* yn gyfarwydd iawn â'r cwestiwn hwn o eiddo Peilat wrth i'r Iesu ymddangos o'i flaen ychydig cyn y Croeshoeliad. Wedi i Peilat ofyn i'r Iesu 'Yr wyt Ti'n frenin ynteu?', meddai'r Iesu, 'Ti sy'n dweud fy mod yn frenin, . . . Er mwyn hyn yr wyf fi wedi cael fy ngeni, ac er mwyn hyn y deuthum i'r byd i dystiolaethu i'r gwirionedd. Y mae pawb sy'n perthyn i'r gwirionedd yn gwrando ar fy llais i.'

Dyma eiriau'r Iesu a barodd i Peilat ofyn y cwestiwn tyngedfennol, ond yn ôl yr hanes yn yr Efengyl yn ôl Ioan, ni chafodd ateb. Yr oedd yr Iesu eisioes wedi mynegi gwirionedd nad oedd Peilat erioed wedi ei amgyffred na meddwl amdano.

SICRWYDD DIYSGOG

Nid yn annisgwyl efallai, erys y cwestiwn hwn a ofynnodd Peilat i breswylio ym meddwl credinwyr ac i'w poenydio dros y canrifoedd. Beth tybed a olygir yn waelodol gan y gair? Fe'i cysylltir yn arferol gydag agweddau dyfnaf ein ffydd. Cyfleir ganddo sefydlogrwydd a chadernid yr egwyddorion hynny nad oes newid arnynt a hynny yn arwain at sicrwydd diysgog.

Credaf y cyfyd yr angen am sefydlogrwydd mewn dyn oddi ar rai o briodoleddau hanfodol bywyd. Un o'r priodoleddau hyn ydyw fod bywyd o hyd yn newid. Yn wir, os nad ydyw bywyd a'r gallu ganddo i newid yn barhaus, cyll un o'i ragorfreintiau mwyaf gwerthfawr, a threngi fydd ei dynged. Ac eto i gyd, a dyma'r paradocs, ni ddaeth y creadur dynol i lawn werthfawrogi, nac ychwaith i sylweddoli arwyddocâd y newid parhaus yma sydd mor nodweddiadol o fywyd. Bron na ddywedaf fod ar ddyn ofn cynhenid wrth newid. A dyma pam y daeth i goleddu'r syniad dwfn o sefydlogrwydd ynglŷn â'i grêd yn Nuw, y grêd fod Duw yn dal yr Un yn nannedd pob newid a'i fod yn dragwyddol ddigyfnewid.

Ni fynegwyd hyn erioed yn fwy pendant a chlir nag yn emyn mawr Eben Fardd wrth iddo sôn am 'sigledig bethau'r byd'. Meddai'r bardd 'Ysgwyd mae y tir o danaf, / Darnau'n cwympo i lawr o hyd'. Ei fryd a'i obaith ydyw cael ei droed i sengi 'ar dragwyddol Graig yr Oesoedd, dyna fan na sigla byth'. A dyna weddi fawr H. F. Lyte 'Change and decay in all around I see; / O Thou who changest not, abide with me', ac y mae'r gwreiddiol yn llawer cyfoethocach na'r cyfieithiad i'r Gymraeg. Gellir dyfynnu llawer o enghreifftiau eraill yn ein hemynyddiaeth.

GWIRIONEDD

Ceir llawer o gyfeiriadau yn y Beibl at y Gwirionedd ond yn anaml y ceir eglurhad pendant a chlir o'r hyn a olygir wrth y gair. 'Bydd pawb ar y ddaear sy'n ceisio bendith yn ceisio'i fendith yn enw Duw gwirionedd,' meddai'r proffwyd Eseia. Y Salmydd sy'n dyheu ar i Dduw 'anfon dy oleuni a'th wirionedd, bydded iddynt fy arwain, bydded iddynt fy nwyn i'th fywyd sanctaidd ac i'th drigfan'. Ac mewn Salm arall, y mae'r Salmydd yn ymbil 'O Arglwydd dysg i mi dy ffordd imi rodio yn dy wirionedd'.

Y mae'r Efengyl yn ôl Ioan yn frith o gyfeiriadau at y gwirionedd – yn wir dyma un o eiriau mawr yr Efengyl. Hyd y gallaf ganfod, y mae Ioan yn defnyddio'r gair dros ugain o weithiau a chyfyd y gair yn aml yn ei Epistolau hwythau. 'A daeth y Gair yn gnawd a phreswylio yn ein plith, yn llawn gras a gwirionedd . . . oherwydd trwy Moses y rhoddwyd y Gyfraith, ond gras a gwirionedd, trwy Iesu Grist y daethant'. Ac meddai'r Iesu ei hun 'Cewch wybod y Gwirionedd a bydd y gwirionedd yn eich rhyddhau'. Pa ryfedd i Dyfed weddïo mor angerddol yn ei emyn 'O Sancteiddia'n myfyrdodau yn dy wirioneddau byw; / Crea ynom ddymuniadau am drysorau meddwl Duw'. Pwy tybed a feiddia ddehongli'n llawn beth y mae'r gair yn ei hanfod a'i feddwl dyfnaf yn ei gyfleu?

DEHONGLIAD NEWYDD

Gyda threigliad y canrifoedd a'r Dadeni Dysg ceisiodd llawer iawn o ddiwinyddion, athronwyr ac ysgolheigion egluro agweddau arbennig ar y gwirionedd. A daeth llawer i awgrymu ac yn wir i gredu nad oes terfyn na diwedd i'r hyn a olygir gan y gair. Y tebygrwydd ydyw y daw rhyw ddehongliad newydd ohono o hyd i'r wyneb, a'r dehongliad hwnnw yn tanseilio y rhannau hynny o'r gwirionedd a gydnabuwyd gynt yn hanfodol, na ellir eu gwrthbrofi ac sy'n gwbl ddisygl. Y sialens wedyn ydyw gwybod pa agweddau o'r hen y dylid eu bwrw heibio ac at ba rannau y dylid ychwanegu. O wneud hynny, y mae'r dehongliad newydd yn rhoddi gweledigaeth gliriach o'r gwirionedd a ganfuwyd gynt.

ASTUDIAETHAU GWYDDONOL

Cyfyd yr egwyddor waelodol yma beunydd mewn astudiaethau gwyddonol. Yn y byd ffisegol, gwelwyd newidiadau sylfaenol o ddyddiau Rutherford hyd at heddiw yn ein dealltwriaeth o wneuthuriad mater. Darganfyddodd Rutherford niwclews yr atom ac fe enynnodd hynny fyd hollol newydd yn ymwneud ag egwyddorion y wyddor ffisegol. Ac yn y byd biolegol wedyn, y mae neo-Ddarwiniaeth ac astudiaethau genetigol ynglŷn â'r genynnau wedi creu chwyldro ymysg egwyddorion dyfnaf bywyd ei hun. Ac onid ydyw yr un peth yn bodoli ym myd crefydd? Mae yna sawl paradocs a gwrthddywediadau i'w canfod. Credaf fod llawer dehongliad o Dduw i'w gweled yn y Beibl. Duw fel Creawdwr, fel Barnwr ac fel Brenin Hollalluog a thragwyddol sy'n dod i'r wyneb gryfaf yn yr Hen Destament, ond ni chredaf fod yr un pwyslais i'w ganfod yn y Testament Newydd.

Drwy ganrifoedd cred, mynegwyd agweddau o'r gwirionedd o Dduw mewn amryfal ffyrdd. Ceisiadau ydynt i gyd i ychwanegu at y gwirionedd, ond i'r credinwyr, amhosibl ydyw cyfannu'r cwbl o'r gwirionedd dwyfol. Ni allai'r meidrol fyth amgyffred yn llawn holl wirionedd yr anfeidrol.

DEHONGLIAD IESU

Ond yn nannedd hyn i gyd, y mae'r dehongliad sydd gan yr Iesu am y gwirionedd o Dduw yn hollol unigryw ac mewn dimensiwn gwahanol. Fel y dywedais ar y dechrau, tystiolaethodd yr Iesu i'r gwirionedd, ond yn wahanol i bob dysgeidiaeth arall, y mae'r Iesu yn hollol unigryw wrth iddo uniaethu ei hun â'r gwirionedd. Onid oes llu o ysgolheigion a diwinyddion wedi ein dysgu am y gwirionedd? Yr Iesu yn unig sydd wedi ymgorffori ei hun yn y gwirionedd. 'Myfi yw'r gwirionedd,' meddai'r Iesu mewn atebiad i Thomas.

Fe uniaethodd yr Iesu ei hun â'r gwirionedd mewn llawer ffordd, ond ni chredaf iddo wneud hyn yn fwy clir a phendant nag wrth iddo rannu gyda'i ddilynwyr ei weledigaeth o Dduw. A'r unig ffordd y gall y Cristion amgyffred hyn ydyw drwy dderbyn y gwirionedd o Dduw yn Dad fel sydd gan yr Iesu. Y mae sawl cyfeiriad at Dduw fel Tad yn yr Hen Destament. Dyfynnaf ddau, 'Onid ef yw dy dad a'th luniodd' meddai Moses yn ei gan fawr yn Llyfr Deuteronomium. A dyma hefyd ydyw profiad Jeremeia o Dduw 'Yr wyf yn dad i Israel'. Adlewyrchiad o Dduw'r cread ydyw hyn, ond fe ddaeth yr Iesu â'r Duwdod i mewn i'w fywyd Ef ei Hun a rhoi arbenigrwydd hollol wahanol iddo. Dyma'r gwirionedd sylfaenol yn nysgeidiaeth yr Iesu ac mai yng ngoleuni Tadolaeth yr ydym i feddwl am Dduw a cheisio'i adnabod. Fel y mae'r Iesu wedi uniaethu ei hun â'r gwirionedd, y mae hefyd wedi cydgysylltu ei hun â Duw a Duw sydd yn Dad. Nid dweud mae'r Iesu fod Duw yn Dad ond mai ef yw'r Tad. Dyma'r gwirionedd sylfaenol yn nysgeidiaeth yr Iesu am Dduw. Fel y mae Iesu wedi uniaethu ei hun â'r Gwirionedd, y mae hefyd wedi cydgysylltu ei hun â'r Duwdod. Meddai'r Iesu 'Credwch fi pan ddywedaf fy mod i yn y Tad a'r Tad ynof finnau'. 'Myfi a'r Tad un ydym, y sawl a'm gwelodd i a welodd y Tad'.

Wrth gydnabod Duw yn Dad drwy y gwirionedd a ddaeth drwy'r Iesu, y mae cyfrifoldeb arnom wedyn i ymddwyn fel plant i Dduw a brodyr yng Nghrist. Credaf mai dyma'r gwirionedd eithaf ac uchaf y gall dyn anelu ato. Nid crefydd nac athrawiaeth chwaith ydyw y ffydd Gristnogol yn ei hanfod, i ddeall ac i geisio esbonio'r byd o'n cwmpas, ond crefydd sy'n hawlio gallu newid dynoliaeth drwy'r gwirionedd terfynol yma a ddaw i'r sawl sy'n arddel enw'r Iesu.

Y Goleuad, 1995

Y CARTREF A'N CREFYDD

Bu cryn dipyn o drafod yng ngholofnau'r *Goleuad* yn ystod y misoedd diwethaf hyn, ac yn arbennig felly yn yr ysgrifau golygyddol, ar gyflwr ein crefydd a'n heglwysi yn y Gymru gyfoes.

Cawsom ein hatgoffa fwy nag unwaith o'r ystadegau moel sydd yn ein gorfodi i ymholi'n ddifrifol am ein harwyddocâd i'r oes a ddêl. Gwelwyd lleihad cyson dros y blynyddoedd yn nifer yr aelodau eglwysig – yn oedolion a phlant, gyda'r canlyniad fod gennym yng Nghymru bellach dros gant o eglwysi gyda llai na deg ar hugain o aelodau ynddynt. Gostyngodd rhif ein Gweinidogion hwythau, ac er ein bod fel Cyfundeb yn debyg yn hyn o beth i'r holl Gyfundebau eraill, nid oes fawr o gysur yn hynny. O fewn deng mlynedd ar hugain, aeth nifer y Gweinidogion i lawr o 550 i 124, a bydd 25 eto yn ymddeol o fewn dwy flynedd. Rhaid i'r gweddill ymestyn eu dyletswyddau dros lawer ardal, a chynyddodd nifer yr eglwysi dan ofal un bugail.

Nid oes amheuaeth na welir newidiadau mawr a phellgyrhaeddol yng ngwaith y weinidogaeth a chyfrifoldeb eglwysig yn y dyfodol. Hyd y gwn i, ychydig iawn o ymchwil sylfaenol a wnaethpwyd i geisio wynebu'r sefyllfa. Yn wir y mae'n ddadl gennyf nad oes fawr ohonom fel aelodau yn sylweddoli oblygiadau y casgliadau hyn a'u heffaith ar gymdeithas gwlad i'r dyfodol.

Y TEULU

O feddwl yn ddifrifol am y sefyllfa, ni allaf lai na dod i'r casgliad fod gan y cartref a'r uned deuluol yn anad un dylanwad arall o fewn y gymdeithas, gyfrifoldeb sylfaenol a phendant yn y datblygiadau hyn. Nid oes amheuaeth nad y teulu yw'r sefydliad cymdeithasol mwyaf parhaol a dylanwadol o holl nodweddion yr hil ddynol. Gellir dadlau yn gryf y bydd yr uned deuluol yn goroesi tra pery'r hil ddynol, ond nid yw hynny ynddo'i hun yn gwadu'r ffaith na fydd yr uned yn aros heb newid a datblygu, er gwell neu er gwaeth. O safbwynt agweddau crefyddol, onid gwir yw dweud bod y rhai ohonom sydd yn ceisio dal ein gafael yn y ffydd Gristnogol yn adlewyrchu yn gryf iawn y fagwraeth a'r prifiant a gawsom o fewn teulu a chartref? Yr oedd efelychu mam a thad yn rhan annatod o'r diwylliant crefyddol.

Yr hyn sy'n peri dychryn heddiw yw fod tystiolaeth gref a ffeithiol yn dangos bod newidiadau sylfaenol a phellgyrhaeddol wedi digwydd o fewn y deugain mlynedd diwethaf, a bod eu cyfradd yn cynyddu. Ymddengys y dystiolaeth hon mewn dau adroddiad a gyhoeddwyd fis Tachwedd y llynedd, y naill yn dwyn y teitl 'The Decay of Marriage' (Ymddiriedolaeth Addysg Deuluol) a'r llall 'Marital Breakdown and the Health of the Nation' wedi ei sylfaenu ar ymchwil a wnaed gan uned arbennig Ysbyty Middlesex Ganol, Llundain. Y mae'r ail adroddiad yn ganlyniad uniongyrchol ac yn atebiad i adroddiad arall a gyhoeddwyd y llynedd gan Adran Iechyd y Llywodraeth yn dwyn y teitl 'The Health of the Nation'.

Cynnwys y ddau adroddiad sylwadau pellgyrhaeddol wedi eu seilio ar ystadegau swyddogol, ac y mae'r casgliadau a dynnir oddi wrthynt yn peri dychryn. Yn yr adroddiad cyntaf a nodwyd, ymddengys fod rhif y priodasau ym Mhrydain wedi lleihau. O fewn prin bymtheng mlynedd hyd at 1987 disgynnodd y rhif dros dri ar ddeg y cant, a hynny o gofio bod nifer yr unigolion o fewn oed ymbriodi wedi cynyddu ddau ar hugain y cant ym myd y dynion a phymtheg y cant ym myd y merched.

NEWID

Ffaith bwysig arall yw fod nifer y plant a anwyd y tu allan i rwymyn priodas wedi treblu o fewn deunaw mlynedd hyd at 1988. Yn y flwyddyn 1989 yr oedd dau ddeg saith y cant o'r holl enedigaethau yn y Deyrnas Unedig y tu allan i briodas. Yn ychwanegol at hyn, yn yr un flwyddyn, yr oedd pedwar ar bymtheg y cant o holl deuluoedd ein gwlad gyda phlant yn unedau un rhiant, ac yn naw o bob deg o'r unedau hynny, y fam oedd y rhiant unigol. Yn wir, dengys yr ystadegau a gyhoeddwyd gan y Ganolfan

Astudiaethau Teuluol, fod cyfartaledd teuluoedd un rhiant ym Mhrydain ymysg yr uchaf o holl wledydd y Gymuned Ewropeaidd a bod oddeutu 1.9 miliwn o blant yn cael eu dwyn i fyny mewn 1.2 miliwn o unedau un rhiant yn y Deyrnas Unedig. Y mae'r cynnydd yn y ffigwr olaf yma oddeutu deugain mil y flwyddyn. Nid hawdd yw dechrau dirnad beth fydd effaith y datblygiadau hyn ar safonau byw y dyfodol, heb sôn am y canlyniadau a ddaw yn eu sgîl o edrych ar gyflwr moesol a chrefyddol ein gwlad. Nid oes amheuaeth fod y newidiadau yn arwain at broblemau nad ydym eto wedi eu llawn sylweddoli na cheisio eu datrys. Serch hynny, rhydd yr ail adroddiad rai canlyniadau pwysig a briodolir yn uniongyrchol i'r tueddiadau hyn. Y cyntaf ac efallai y mwyaf cyrhaeddol yn ei effeithiau yw'r cynnydd mewn tensiwn a thyndra yn y cartref. Dengys yr ystadegau yn glir fod hyn yn ysgogi ymlyniaeth ormodol wrth ysmygu, alcohol a chyffuriau, yn arbennig felly ymysg unigolion rhwng ugain a deg ar hugain oed. Daw effeithiau eraill i'r amlwg hefyd, symptomau fel diffyg cwsg, blinder parhaus a methu canolbwyntio. Ac yn fwy difrifol fyth, y mae'r unigolion sydd yn byw beunydd dan y tensiynau hyn yn fwy tebygol o farw'n ieuengach, ac ymddengys fod hunanladdiad ar gynnydd yn eu plith.

Onid ydyw plant o fewn cartrefi un rhiant ar y cyfan yn llawer iawn llai ymwybodol o'r cariad a'r gofal a adlewyrchir o fewn y cartrefi hynny o'u cymharu â'r berthynas agos a amlygir mewn teuluoedd dau riant? Prin y gall plant adlewyrchu cariad tuag at eraill y tu allan i'r teulu os nad ydynt eisoes wedi profi'r priodoleddau hynny yn eu magwraeth. Ac os pery hyn dros ddwy genhedlaeth a mwy, nid hawdd fydd ailsefydlu'r berthynas drachefn.

CREFYDD

Nid yw'r naill na'r llall o'r adroddiadau yn ceisio olrhain effaith hyn oll ar agweddau crefyddol y gymdeithas, ond credaf fod y tueddiadau presennol yn sicr o fod yn milwrio yn erbyn yr elfennau crefyddol ym magwraeth ein plant a'u gwerthfawrogiad o bwysigrwydd y ffydd Gristnogol yn eu prifiant.

Ni ellir gorbwysleisio'r ffaith sylfaenol fod y teulu dynol fel uned wedi bod yn hanfodol yn natblygiad y creadur dynol – yn foesol, yn ddiwylliannol ac, yn bwysicaf oll, yn grefyddol. Nid oes amheuaeth ychwaith nad yw yr uned deuluol wedi bod yn un o'r sefydliadau cadarnaf a mwyaf parhaol o holl briodoleddau'r gymdeithas. Y mae ffactorau genetigol a diwylliannol wedi eu gwreiddio'n ddwfn yn y berthynas deuluol, ac fe ddaeth crefydd, hithau, yn ei thro yn rhan annatod ohoni. Derbyniodd y plentyn yn ei brifiant y gallu i feithrin ac i goleddu credo. Wrth i'r uned ddatgymalu, fe gyll y plentyn wedyn y priodoleddau sylfaenol a roddodd yr agweddau crefyddol i'w brifiant. Daeth erydiad gwaelodol yn gryf i'r wyneb. Credaf fod gwir angen darbwyllo teuluoedd ein gwlad a'u hargyhoeddi o'r newydd o ymhlygiadau y tueddiadau hyn o'u mewn. Anodd iawn bellach yw dirnad sut y gellir meithrin yr agweddau crefyddol hynny a fu mor nodweddiadol a phwysig yn y gorffennol. Nid hawdd ydyw i gapel nac ysgol eu noddi a'u datblygu os na fydd y sylfaen wedi ei gosod eisoes yn y teulu. O fethu yn y frwydr i argyhoeddi rhieni o'r cyfrifoldeb crefyddol tuag at eu plant, fe fydd y golled yn annileadwy. Dyma yn wir gychwyn cymdeithas hollol seciwlar a di-grefydd.

Y Goleuad, 1992

EDRYCH YN ÔL AC YMLAEN

Canol mis Hydref y llynedd, ac ar ddechrau blwyddyn golegol arall, cyhoeddodd *Y Goleuad* restr o Gaplaniaid y gwahanol golegau yng Nghymru gyda'r bwriad o geisio cadw cysylltiad cydrhwng yr eglwysi a'r holl efrydwyr o Gymru sydd yn dilyn cyrsiau yn ein colegau eleni. Rhestrir un ar ddeg o Gaplaniaid a gwnaed apêl i weinidogion a blaenoriaid yr eglwysi anfon enwau a chyfeiriadau yr efrydwyr atynt.

Fel un â chysylltiad agos am flynyddoedd lawer gyda rhai o efrydwyr Coleg y Brifysgol ym Mangor, byddaf yn holi fy hun sut ymatebiad a fu i'r apêl ar ran y gweinidogion a'r blaenoriaid ar y naill law ac efallai yn bwysicach fyth, ar ran yr efrydwyr ar y llall. A barnu oddi wrth bresenoldeb efrydwyr Coleg y Brifysgol a'r Coleg Normal yn oedfaon y Sul yn eglwys Y Twrgwyn, Banger, ni chafodd yr apêl fawr ddim gwrandawiad.

BRAINT

Cafodd yr eglwys yn y Twrgwyn y fraint o feithrin a choleddu perthynas agos a chynnes iawn gyda tho ar ôl to o efrydwyr y Colegau am flynyddoedd lawer. Profais y gymdeithas glòs a hapus fel efrydydd ac wedyn fel aelod o'r eglwys a staff y Coleg ac fe ddenodd yr eglwys rai cannoedd o efrydwyr i'w hoedfaon am gyfnod maith. Erys rhai nodweddion arbennig y cyfnod y bûm i yn gysylltiedig â'r eglwys yn fyw iawn yn y cof.

Un oedd oedfa'r Cymun ar nos Sul a'r holl efrydwyr a lenwai'r oriel yn ymuno â'r gynulleidfa ar lawr y capel yn y seiat i dderbyn y bara a'r gwin a neb ohonynt yn meddwl llithro allan. Pwy all ddirnad a mesur effaith oedfa o'r fath ar gynrychiolaeth o ieuenctid y genedl ym mlodau eu dyddiau? Ac yr oedd pawb a chysylltiad â'r eglwys yn y tri a'r pedwar degau yn ymwybodol iawn o ddosbarth y diweddar Mr. Ambrose Bebb yn yr ysgol brynhawn Sul gyda phump ar hugain a mwy o efrydwyr yn aelodau ffyddlon. Fe glywais amryw ohonynt yn sôn mor falch oeddynt o gael ymuno yn y dosbarth a chael blas ar y trafod.

Gyda chymaint o bobl ifanc yn y gynulleidfa yr oedd llawer o bregethwyr y Sul hwythau yn anelu eu cenadwri at yr efrydwyr. Y mae gennyf atgofion o'r diweddar Barchedig Gwyn Evans, Llundain yn pregethu ar y testun o lyfr Josua 'Pob man y sango gwadn eich troed chwi arno a roddais i chwi'. Apêl y bregeth oedd ar i ni ieuenctid y Colegau sangu ein traed yn burion ar y mannau cysegredig hynny a ddaeth i'n rhan a'u cadw yn rhinwedd y sawl a'u trosglwyddodd ac a fu mor frwdfrydig a selog yn eu gofal o'r etifeddiaeth a ddaeth i'w rhan hwythau.

NEWID

Daeth newid sylfaenol yn y pum a'r chwe degau pan gollodd Y Twrgwyn ei hatdyniad i do ifanc y ddau Goleg. Bellach eithriad ydyw gweled a chael y fraint o groesawu dim ond dyrnaid fechan iawn o'r to ifanc yn yr oedfaon. Yn cydredeg â hyn, daeth cynnydd eithriadol yn rhif yr efrydwyr ym Mangor a bu newidiadau mawr yn y cyrsiau gradd a gynigir i'w denu i'r Coleg. Y mae'r ystadegau yn ddiddorol. Y llynedd ar gyfartaledd, yr oedd oddeutu chwe mil o efrydwyr yng Ngholeg y Brifysgol a mil yn y Coleg Normal. Ymhlith efrydwyr y Brifysgol yr oedd rhyw ddwy fil o Gymru ond yn bwysicach fyth yr oedd ychydig dros wyth gant ohonynt yn hyddysg yn yr iaith Gymraeg. Diddorol ydyw nodi hefyd fod gan yr Adran Ddiwinyddiaeth ac Astudiaethau Crefyddol gyfanswm o oddeutu cant pedwar deg o efrydwyr y llynedd. A chymryd eglwys Y Twrgwyn fel enghraifft, y mae'n weddol eglur i mi bellach mai dim ond carfan fechan iawn o efrydwyr Bangor sydd yn mynychu eglwysi'r ddinas ac yn addoli ar y Sul. Ac er bod diddordeb mawr mewn Diwinyddiaeth ac Astudiaethau crefyddol (a barnu oddi wrth nifer yr efrydwyr sydd yn aelodau o'r Adran honno) nid oes awydd, hyd yn oed ymysg yr efrydwyr hynny, i ymgynnull mewn eglwys a chapel i addoli. Credaf mai teg ydyw gofyn a aeth astudiaethau crefyddol yn ddim amgenach na thestun i'w drafod a'i ddysgu gyda'r bwriad o ennill gradd a swydd – er mor bwysig ydyw hynny. Rhaid dod i'r casgliad hefyd nad ydyw llan a chapel bellach yn denu pobl ifanc ein colegau i addoli ar y Sul.

Y RHESYMAU GWAELODOL

Beth yw'r rhesymau gwaelodol sydd yn cyfrif am y troeon anorfod hyn? Y mae amryw o atebion yn cynnig eu hunain a buddiol ydyw cael ein hatgoffa ohonynt. Collodd yr aelwyd a'r cartref eu dylanwad yn ystod blynyddoedd ffurfiant yr ifanc yn eu harddegau cynnar. Bellach ac ar y cyfan, nid oes gan y rhieni yr un ymdeimlad na'r awydd i addysgu eu plant a'u trwytho yn y ffydd Gristnogol. Tybiaf fod y newidiadau hyn ar droed ers dwy genhedlaeth. Y mae'n wir fod plant yn derbyn gwersi ar grefydd yn yr ysgolion dyddiol, ond os nad oes sylfaen wedi ei osod yn y cartref, ni chredaf fod y gwersi hyn yn ddim byd mwy na phwnc yn y cyrsiau addysg ac heb fawr ddim dylanwad ar ddatblygiad y plant yn foesol ac yn grefyddol. Yn cydweithio â hyn, nid oes amheuaeth fod materoliaeth a seciwlariaeth yr oes hon wedi dylanwadu'n drwm ar y meddwl modern. Onid dyma un o'r ffactorau mwyaf sydd wrth wraidd y difaterwch Cristnogol sydd ar gynnydd yn ein gwlad heddiw? Ac eto i gyd, y mae llawer yn ceisio ymwybod â rhai o'r crefyddau eraill, fel pe na bai'r ffydd Gristnogol yn gallu eu bodloni bellach. Y mae geiriau William Blake mor wir heddiw ag erioed – 'Man must and will have some religion'.

Daeth y datblygiad aruthrol yn y meddwl rhesymegol hefyd a'i ganlyniadau. Tanseiliwyd yr ymwybyddiaeth o ffydd, a'r cyfan bron sydd ymhlyg yn y gair hwnnw. Credaf fod cyraeddiadau gwyddonol ein cyfnod yn gyfrifol i raddau pell iawn am hyn. Sigwyd rhai o ganllawiau traddodiadol crefydd.

O sylweddoli yr holl ddatblygiadau hyn, ofnaf fod yr ymwybyddiaeth Gristnogol ar drai yn ein plith ac yn colli ei grym. Wrth gofio hefyd nad ydyw dyn wedi colli'n llwyr yr elfennau isradd ac anifeilaidd sydd o hyd yn rhan o'i wead a'i gyfansoddiad etifeddol, y mae perygl wedyn i ddyn, gyda'i feddylfryd cynyddol ac unigryw, i gyflawni erchyllterau dychrynllyd, lawer ohonynt ymhell tu draw i fyd yr anifail. Onid oes prawf o hyn eisioes o fewn ein cymdeithas? Un o ragorfreintiau mawr y ffydd Gristnogol ydyw'r gallu sydd ymhlyg ynddi i ffrwyno ac i alluogi dyn i dyfu tu draw i'r priodoleddau arbennig hyn. Heb grefydd ac heb foesoldeb wedi ei sylfaenu ar grefydd, cyll dyn un o'i briodoleddau pennaf os nad y mwyaf un i'w gadw o fewn terfynau.

DULLIAU O GYFLWYNO

Tybed a oes lle i ofni bod y dulliau traddodiadol sydd gennym i gyflwyno'r Efengyl – yr oedfa, y cydaddoli a'r bregeth, wedi colli eu hapel a'u dylanwad ymysg ieuenctid ein gwlad? Os felly, beth ddylai gymryd eu lle? O'm rhan fy hun, credaf fod i wasanaethau'r Sul, a'r aelodau eglwysig yn cyd-addoli, eu harbenigrwydd o hyd, ond beth tybed yw barn ein pobl ifanc? Nid ar chwarae bach y mae canfod beth yw'r ateb priodol er lles a dyfodol y ffydd Gristnogol yn ein gwlad. Hawdd iawn ydyw dal i obeithio yn hyderus y daw tro ar fyd ac y 'daw'r dydd byw ei thragwyddol obaith'.

Ar hyn o bryd, y mae Eglwys Bresbyteraidd Cymru yn ymlwybro'n galed a ffyddiog yn ei Strategaeth i ddiogelu a chryfhau'r eglwysi a bery i'r dyfodol. Mae'r ymdrech yn haeddu llwyddiant ond erys y broblem sylfaenol o adennill ieuenctid ein gwlad i rengoedd yr eglwysi neu i ddod o fewn cyrraedd yr Efengyl mewn rhyw ffordd arall. Er mwyn y dyfodol, awgrymaf y dylai llysoedd Eglwysi Rhyddion Cymru wneud ymchwiliad manwl a gonest ymysg ieuenctid ein gwlad i wybod y rhesymau hynny a barodd i'r ifanc wrthgilio o'r oedfaon. Ein braint a'n cyfrifoldeb fel aelodau eglwysig ydyw dyfod i'r afael â'r broblem a chael gwybodaeth a fydd o les ac yn ganllaw i geisio ymateb i'r dyfodol. Wedi'r cyfan, os nad enillir yr ifanc, pa obaith sydd i'r dyfodol?

Y Goleuad, 1996

RICHARD DAWKINS – APOSTOL ESBLYGIAD

Rhaid ehangu cryn dipyn ar orwelion traddodiadol *Y Goleuad* i ddod i'r afael â rhai o ddaliadau a damcaniaethau Richard Dawkins. Efallai mai purion ydyw gwneud hynny os ydym fel Cristnogion i geisio llenwi rhyw gymaint ar y bwlch enfawr sydd yn hysbys ddigon bellach rhwng credinwyr a gwyddonwyr genetigol fel Dawkins a'i debyg.

Daeth y gŵr hwn i fri rhyw ddeugain mlynedd yn ôl, ac yntau yn Ddarllenydd mewn Swoleg ym Mhrifysgol Rhydychen. Bellach daeth i lenwi cadair arbennig a grëwyd iddo gyda throsglwyddo dealltwriaeth o wybodaeth wyddonol yr unig fwriad, a cheisio dadansoddi effaith gwybodath o'r fath ar y cyhoèdd. Yn sicr y mae tystiolaeth Dawkins yn gadarn ac yn arswydol o ysbrydoledig.

Rhaid cydnabod ar y dechrau iddo fynegi droeon yn ei lyfrau a'i ysgrifau fod ceisio deall a gwerthfawrogi bywyd a'i esblygiad ar ein daear yn un o'r profiadau mwyaf, os nad y mwyaf un, y gall y meddwl dynol ymchwilio iddo. Yn hyn o beth, saif Dawkins yn hollol ar yr un tir â Syr Peter Medawar wrth iddo yntau ddatgan yn hollol glir fod yr anturiaeth wyddonol y fwyaf llwyddiannus a ddaeth i ddirnadaeth dyn erioed.

Cyhoeddodd Dawkins eisoes bump o lyfrau safonol. 'The Selfish Gene' yw'r cyntaf ac efallai yr enwocaf ohonynt. Cyfieithwyd y gyfrol hon i dair ar ddeg o ieithoedd, – prawf digonol o'i phwysigrwydd yn y byd genetigol esblygiadol. Ynddi dengys Dawkins nad oes sail o gwbl i'r gred oesol bod i fywyd gynllun genetigol er lles a budd y grŵp y mae'r unigolyn yn byw ynddo. Y mae'n hollol bendant fod anifeiliaid unigol o bob math, gan gynnwys dyn, yn beiriannau goroesol a'r rheswm pennaf dros eu bodolaeth ydyw adgynhyrchiad o'r defnyddiau genetigol sydd ganddynt – y genynnau sydd wedi eu lleoli o fewn celloedd y corff.

Ac os ymddengys ar y wyneb fod agweddau altrwistaidd yn ymddygiad unigolion, rhaid cofio mai'r unig reswm dros hynny ydyw fod gan y genynnau well siawns o lwyddiant. Pwysleisir y ffaith fod y genynnau yn ymateb er eu lles eu hunain ac nid er lles yr unigolyn o angenrheidrwydd. Dyma yn syml sydd yn egluro teitl y gyfrol. Serch hynny, y mae yr awdur yn cydnabod bod y diwylliant dynol unigryw yn rhoi y gallu i ddyn i ymateb tu draw i hualau unig fwriadau y genynnau hunanol. Yn wir cred Dawkins ym mhotensial y gallu anhygoel hwn yn y diwylliant dynol, er nad ydyw diwylliant fel y cyfryw wedi ei restru ar y genynnau eu hunain. Nid oes sail genetigol iddo.

MEMYNNAU

Cyfeirir at y priodoleddau diwylliannol hyn fel memynnau i'w gwahaniaethu yn sylfaenol oddi wrth y genynnau. Dyma'r nodweddion sydd a wnelont â chrefydd, moes, meddyliau, iaith symbolaidd, drychfeddyliau, miwsig a ffasiwn, i enwi ond ychydig. Fel y mae y genynnau yn lluosogi eu hunain yn y celloedd epiliol, y mae'r memynnau ar y llaw arall yn bodoli o fewn yr ymennydd ac yn cael eu cynnal neu eu colli o genhedlaeth i genhedlaeth drwy efelychiad a dysg. Y mae'r dulliau hyn yn llawer cyflymach yn eu heffeithiau o'u cymharu â'r hyn a drosglwyddir yn enetigol. Fel anffyddiwr, nid ydyw Dawkins yn dyfarnu sut y daeth y syniad oesol o Dduw i gartrefu yn y memyn dynol, ond ar hyd yr oesoedd cafodd y syniad ei lunio a'i drosglwyddo mewn amryfal ffyrdd. Perthyn iddo werth goroesol uchel iawn ac y mae hynny yn ei dro yn dibynnu, yn ôl Dawkins, ar ei apêl seicolegol ac emosiynol. Rhydd atebion y gellir eu derbyn ynglŷn â chwestiynau sylfaenol bodolaeth. Y mae'r 'breichiau tragwyddol' yn cynnal annigonolrwydd y creadur dynol wrth iddo ymchwilio am atebion i gwestiynau tyngedfennol bywyd.

DARWINIAETH

O holl orchestion Dawkins, erys ei ddehongliad diweddaraf ynglŷn â Darwiniaeth ymysg y pennaf. Ei nod o hyd ydyw pwysleisio'r ffaith fod dewisiad naturiol a'r cwbl sydd yn gynwysiedig ac yn dilyn o ganlyniad, yn ffactor hanfodol a chwbl angenrheidiol i ddeall esblygiad bywyd. Saif y ddamcaniaeth yn rhyfeddol o syml a chreadadwy ac y mae'r dystiolaeth drosti yn arswydus o gryf bellach. Pwysleisir y cymhlethdodau biolegol aneirif sydd ynglŷn â bywyd. Y mae y priodoleddau hyn yn adlewyrchu effeithlonrwydd anhygoel eu harfaeth a'u pwrpas. I Dawkins, y mae'r cyfan bellach yn crefu am eglurhad a chredaf mai un ymhlith llawer o'i amcanion ydyw cyfleu rhyfeddod di-bendraw y cymhlethdodau hyn. Ei nod ydyw ein hysbrydoli i weled gogoniant eu bodolaeth ac i sylweddoli bod eglurhad i'w gael a hynny ar lefel dewisiad naturiol. Erys Dawkins yn gwbl argyhoeddedig hefyd mai dim ond drwy egwyddorion neo-Darwinaidd y gellir egluro dirgelwch ein bodolaeth.

Hyd at ganol y bedwaredd ganrif ar bymtheg, yr oedd pawb yn credu yn hollol ddigamsyniol fod i'r cread drwyddo bwrpas goruwchnaturiol. Ceir trafodaeth fanwl o hyn yn 'The Blind Watchmaker' – teitl sydd yn dwyn ar gof gyfrol fawr Paley, *Natural Theology*, 1892. Credai Paley fod bywyd wedi ei lunio a'i adeiladu fel awrlais fawr gan y Creawdwr ei hun. Yr oedd dadl Paley ar y pryd ymysg y cryfaf a'r mwyaf dylanwadol. Hanner canrif yn ddiweddarach daeth Darwin â'i ddamcaniaeth fod yr holl drefn wedi esblygu'n raddol drwy ddewisiad naturiol. Ni pherthyn i'r cread bwrpas arfaethol ordeiniedig ac nid oes iddo ragwelediad na rhagddarbodaeth ychwaith.

Y mae hyn yn peri trafferth i lawer, a hynny am ddau brif reswm. Cyfyd y cyntaf oddi wrth gywreinrwydd a pherffeithrwydd organau'r corff a'r grêd na ellir eu hegluro ond trwy law y Gwneuthurwr mawr ei hun. Fel un enghraifft i wrthbrofi'r gred yma, rhydd Dawkins dystiolaeth fanwl i'r llygad esblygu o ganlyniad i nifer o drawsffurfiadau graddol a chynyddol o unedau hollol syml a chyntefig. Dywed i'r llygad esblygu oddeutu deugain o weithiau yn hollol annibynnol ar eu gilydd. Cyfyd yr ail anhawster oddi wrth ein hanallu i sylweddoli ehangder cyfnod yr esblygiad sydd oddeutu rhai cannoedd o filiynau o flynyddoedd. Pwy all ddirnad y fath amser?

Daw hyn â ni wyneb yn wyneb â rhai o'r damcaniaethau ynglŷn â tharddiad bywyd. Yma cawn ein harwain yn gelfydd iawn gan Dawkins i gymhlethdod DNA – y cemegyn pwysicaf yng nghyfansoddiad bodau byw a chraidd ein genynnau oll. Yn y moleciwl yma y datgelir cyfrinach ein gwneuthuriad genetigol sy'n rheoli ein cyfansoddiad. Ceir dadansoddiad manwl sydd yn ychwanegu llawer tuag at ddatrys tarddiad a chyfrinach y moleciwl rhyfeddol hwn.

Yn *River Out of Eden*, croniclir esblygiad bywyd fel afon fawr DNA yn llifo ac yn fforchi i roddi amrywiaeth diderfyn mewn bywyd drwy ryfeddodau y wyddor etifeddegol. Cyfrinach DNA ydyw y gynneddf unigryw sydd ganddo i aml-lunio ei hun yn barhaus. Dyma sydd wrth wraidd yr amrywiaeth dihysbydd a bortreadir gan bopeth byw. Llifodd yr afon fawr hon drwy ein hynafiaid am oddeutu tair mil o filiynau o flynyddoedd, a thrwy'r cwbl, nid oes tystiolaeth fod unrhyw ragdybiaeth na phwrpas penodol yn ei harwain. Yng ngeiriau Dawkins 'Nid ydyw DNA yn gwybod nac yn malio, – bodoli y mae ac yr ydym oll yn dawnsio i'w fiwsig'.

Rhyw fis yn ôl daeth pumed cyfrol Dawkins o'r wasg. Y mae'r teitl yn arwyddocaol: *Climbing Mount Improbable*, a chredaf i'r awdur gyrraedd un o oriau mawr ei benllanw yn y gwaith hwn. Dengys y gyfrol dro ar ôl tro fod esblygiad drwy ddewisiad naturiol yn chwarae rhan hanfodol a thyngedfennol mewn bywyd a hynny dros eangderau amser. Nid mater o hap, damwain a siawns mohono o gwbl ond proses araf a sicr. Y mae'r gyfrol beunydd yn cymharu dwy ochor i fynydd bywyd, – y naill a'i lethrau yn serth ac yn ddibynnol ar un naid fawr i gyrraedd y brig, a'r llall yn codi yn araf o ris i ris. Nid oes tystiolaeth o unrhyw fath a ddengys fod bywyd yn ei amryfal ffyrdd wedi ei greu ar amrantiad a chyrraedd pen y mynydd. Rhoddir amryw o enghreifftiau trawiadol ac argyhoeddiadol iawn i brofi cwrs araf esblygiad bywyd drwy ddewisiad naturiol. Nid hawdd ydyw i neb wadu'r dystiolaeth a roddir, – y mae manylder yr engreifftiau yn eithriadol. Yn eu plith ceir trafodaeth fanwl eto ar esblygiad y llygad dynol a gwead y pryf copyn i enwi ond dau. Pwrpas y cyfan ydyw dilyniant moleciwl bywyd. Yn hyn o beth, y mae'r awdur yn ychwanegu llawer at y dystiolaeth a roddir yn ei lyfrau blaenorol. Yn ei farn ef esblygiad ydyw'r gwirionedd naturiol dyfnaf a ddarganfuwyd erioed gan astudiaethau gwyddonol ac y mae'r dystiolaeth bellach yn hollol ddigamsyniol.

Amlygir yng nghyfrolau Dawkins yr amrywiaeth ddiderfyn yn ogystal â'r unoliaeth hanfodol sydd yng nghlwm â phopeth byw. Ac er i Ddarwiniaeth fodern ddatrys dirgelwch bywyd i raddau pell iawn, y mae'r cyfan i Dawkins yn peri syndod a rhyfeddod difesur yn fwy iddo ef yn aml nag ydyw i'r cyfrinydd a'r credadun.

Y Goleuad, 1996

CYFEIRIADAU

Dawkins, Richard,
The Selfish Gene (1976). Gwasg Rhydychen.
The Blind Watchmaker (1986). Longmans, Lloegr.
River out of Eden (1995). Weidenfeld a Nicolson, Llundain.
Climbing Mount Improbable (1996). Penguin, Llundain.
Paley, W. (1828), *Natural Theology*. Rhydychen.

DWY GYFROL A DAU DDEHONGLIAD

Er bod llawer o'r farn nad oes brwydr rhwng crefydd a gwyddor bellach, credaf fod gwrthdaro sylfaenol yn bod o hyd yn y meysydd hyn. Un o'r rhesymau cryfaf tros ddweud hyn ydyw bod amryw o gyfrolau wedi ymddangos yn ddiweddar i geisio lliniaru rhyw gymaint ar y ddadl. Yn rhyfedd, dof i'r casgliad fod y diwinyddion yn ymboeni mwy na'r gweddill ohonom a barnu oddi wrth eu cynnyrch diweddaraf.

GWELL DEALLTWRIAETH

Y mae cyfrolau Keith Ward, Athro mewn Diwinyddiaeth ym Mhrifysgol Rhydychen, *God, Chance and Necessity*, a Richard Swinburne, *Is There a God?*, yn brawf digonol o hyn. Athro Athroniaeth, eto o Brifysgol Rhydychen yw Swinburne. Yn ystod yr wythnosau diwethaf daeth Ward ag ail gyfrol o'r wasg, *God, Faith and The New Millenium*, gyda'r is-deitl, 'Christian Belief in an Age of Science'. Yn y gyfrol hon y mae Ward yn canolbwyntio i raddau pell ar y frwydr cydrhwng y syniadaeth o Dduw, y cread, a gwyddor. Ceir dadl gref o blaid gweithgareddau Duw yn y cread a'r bydysawd, bod Duw'n ei amlygu Ei Hun ynddynt, a bod y cyfan o dan reolaeth yr Anfeidrol.

Y mae cynnyrch yr Athro John Polkinghore yntau, ffisegydd o fri a chymrawd y Gymdeithas Frenhinol, yn cydsynio'n gryf â'r hyn sydd gan Ward a Swinburne i'w ddweud. Daeth dwy gyfrol o'i law yntau'n ddiweddar, *Beyond Science*, a *Belief in God in an Age of Science*. Ymddengys y ddwy gyfrol fel ymdrech i ateb y gwyddonwyr esblygiadol, a chadarnhau rhai o elfennau'r ffydd Gristnogol yn nannedd dehongliadau gwyddonol ein cyfnod, gan fynegi nad ydyw daliadau o'r fath, ac yn enwedig ym myd esblygiad, yn fygythiad o gwbl i'n ffydd a'n credo. Y mae gan y ddwy gyfrol eu cyfraniad hollbwysig, yn enwedig o gofio nad ydyw tiriogaeth y gwyddonydd yn cyffwrdd â'r mwyafrif o'r priodoleddau crefyddol sy'n cael eu trafod gan Polkinghore.

Wedi dweud hynny, caf yr argraff nad yw biolegwyr esblygiadol yn poeni rhyw lawer am syniadaeth y diwinyddion a barnu oddi wrth gyfrolau Richard Dawkins a Peter Atkins, y ddau eto'n athrawon blaenllaw ym Mhrifysgol Rhydychen. Serch hynny, mae ymgais fwy nag unwaith gan y diwinyddion i edrych yn fanwl ar ddatblygiadau gwyddonol y ganrif hon yn arbennig, a ddisgrifiwyd yn ddiweddar fel oes aur y gwyddorau esblygiadol. Efallai mai drwy astudiaethau o'r fath y daw gweledigaeth a rydd ysbrydiaeth i'r ddwy garfan i ddod i well dealltwriaeth o'r ffactorau hynny sydd wedi eu gwahanu dros flynyddoedd lawer.

Nid fy mwriad ydyw manylu ymhellach ar y cyfrolau hyn, gan fod agweddau eraill ar gymhlethdodau crefydd wedi codi i'r wyneb yn ystod y misoedd diwethaf. Adlewyrchir hyn mewn dwy gyfrol a ddarllenais ac a barodd imi fyfyrio cryn dipyn am ein dyfodol fel crefyddwyr ac yn arbennig fel Cristnogion.

DON CUPITT

Gŵyr darllenwyr *Y Goleuad* bod Cupitt yn weinidog ordeiniedig o Eglwys Loegr a'i fod yn Gymrawd o Goleg Emmanuel, Prifysgol Caergrawnt. Mae'n awdur toreithiog gan gynnwys *The Sea of Faith* a *Taking Leave Of God*, dwy gyfrol a enillodd eu lle ym myd astudiaethau crefydd ein cyfnod. Ond cyfrol arall yn dwyn y teitl chwyldroadol, *After God: The Future of Religion*, a drafodir yma.

Daeth y gyfrol i'r wyneb wrth i Cupitt sylweddoli bod chwyldro dwfn a phellgyrhaeddol wedi digwydd ym myd crefydd a diwylliant ein cyfnod. Daeth i'r farn fod ein hymwybyddiaeth grefyddol a'n hunaniaeth genedlaethol wedi dirwyn i ben yn fuan wedi'r ail Ryfel Byd. Fe rydd amryw o resymau cadarn tros gredu hynny. Yn eu plith, rhestrir y teithio rhad byd-eang a'r ymfudo dros gyfandiroedd gyda'r canlyniad fod diwylliannau cynhenid a rhai gwahanol iawn eu natur yn ceisio cyd-fyw â'i gilydd. Daeth gwahaniaethau crefyddol yn ffactorau pwysig i ennyn ymryson a gwrthdaro. Gwelwyd bri ar ddatblygiadau gwyddonol a chreadigaethau technolegol, astudiaethau cosmolegol, cyfrifiaduron, bioleg foleciwlar a lloerennau gofod, i enwi ychydig yn unig. Ym marn Cupitt, fe ddaeth gwareiddiad i fod gyda phwyslais technolegol byd-eang gyda'r canlyniad i'r ymwybod a'r traddodiad crefyddol fod yn ddim byd mwy na rhyw oroesiad gwan o'r gorffennol pell yn brwydro am ei einioes. Ac yn ôl Cupitt, nid yn y gwledydd Cristnogol yn unig y digwyddodd hyn. Mae'n eglur ddigon yn ninasoedd modern De a Dwyrain Asia. Bu'r newid yn eu diwylliant hwythau ymysg y mwyaf chwyldroadol yn hanes y ddynoliaeth.

Rhoddir amlinelliad treiddgar ym mhenodau cyntaf y gyfrol o ddatblygiad y gred mewn aml-dduwiau yng nghyfnodau cynnar addoliad yn yr oes Neolithaidd rhyw wyth mil o flynyddoedd yn ôl, a phan ddechreuodd dyn fabwysiadu a dofi anifeiliaid a chodi cnydau ŷd, gwenith a haidd. Wrth i'r brodorion sefydlu eu hunain mewn cymunedau, rhaid oedd wrth awdurdod canolog. Fe briodolwyd yr awdurdod hwnnw ar Dduw y gellid ei addoli a pharchu ei briodoleddau goruwchnaturiol.

Dadl Cupitt ydyw fod yr ymwybyddiaeth yma wedi hen ddiflannu wrth i filiynau o'r ddynoliaeth droi eu hunain ac ymddihatru oddi wrth y traddodiad moesol a chrefyddol. Cyfaddefir bod rhai cymunedau yn ceisio dal eu gafael ac adfywio'r traddodiad, ond y gwir, yn ôl Cupitt, yw fod y cyfan yn diflannu ac yn llithro ymaith oddi wrthynt. Fodd bynnag, nid yw Cupitt yn derbyn fel canlyniad, fod yr elfen wir grefyddol wedi diflannu'n llwyr. Mae'n cynnig ailddiffiniad o grefydd sy'n ei gosod yn llawer nes at Y Deyrnas nag at Yr Eglwys, yn llawer nes at Y Bregeth ar y Mynydd nag at unrhyw fath o uniongrededd diwinyddol. Barn Cupitt yw fod holl grefyddau'r byd a'u traddodiadau cryf yn dirwyn i ben yn union fel y daeth crefyddau mawr Mesopotamia, yr Aifft a Groeg hwythau i ben. O ganolbwyntio ar Gristnogaeth, dywed fod y rhan fwyaf o ddiwinyddiaeth Gristnogol bellach wedi ei cholli. Pwy meddai a all ddirnad sut y mae'r Groes yn dileu pechod y ddynoliaeth neu sut y gellir egluro gwirionedd mawr y Drindod? Y mae'r egwyddorion hyn, i enwi ond dwy, wedi llwyr golli eu hystyr i'r rhelyw o'r ddynoliaeth erbyn heddiw.

AGWEDDAU SYLFAENOL

Yn nannedd hyn i gyd, awgrymir gan Cupitt fod angen bellach canolbwyntio ar yr agweddau hynny sydd yn sylfaenol yn ein bodolaeth grefyddol, agweddau ar ein hunaniaeth a'n hymwybyddiaeth. Nid athrawiaeth oruwchnaturiol sy'n bwysig yn ein crefydd i'r dyfodol, ond yn hytrach rhyw fath o ymarferiad mewn hunaniaeth. Mae Cupitt yn cyfeirio ato'i hun fel Cristion gwrth-realydd. Gall alw ar Dduw a'i garu ac eto sylweddoli nad oes bodolaeth i Dduw. Efallai, meddai, fod yn rhaid i Dduw farw er mwyn i ni berffeithio ein cariad tuag ato. Yr hyn y mae Cupitt yn anelu ato yw rhyw fath ar grefydd fyd-eang i amgylchynu'r holl ddynoliaeth gan ddatgan math o ymwybyddiaeth i gynnwys yr holl hil ddynol. Ar y llinellau hyn y gellir amgyffred crefydd fel math arbennig o weithgarwch arwyddocaol a hwnnw'n uniaethu'r byd drwyddo. O ddarllen y gyfrol, ac nid ar chwarae bach y mae ei deall a'i gwerthfawrogi, rhaid cyfaddef nad at y Cristion fel y cyfryw y mae Cupitt yn anelu'r gwaith ond at y dysgedigion diwinyddol hynny a'r academyddion sydd o hyd yn damcaniaethu ynglŷn â'u cred a'u ffydd ac sydd yn gallu derbyn yr elfen nihilaidd a ddaw mor gryf i'r wyneb gan yr awdur.

Y Goleuad, 1998

CYFEIRIADAU

Cupitt, Don (1984), *The Sea of Faith*. B.B.C., Llundain.
(1993), *Taking leave of God*. Gwasg S.C.M., Llundain.
(1997), *After God: the future of religion*. Weidenfeld a Nicholson, Llundain.
Polkinghorn, J. (1996), *Beyond Science*. Gwasg Prifysgol Caergrawnt.
(1998), *Belief in God in an age of Science.* Gwasg Prifysgol Yale, Llundain.
Swinburne (1996), *Is there a God?* Gwasg Prifysgol, Rhydychen.
Ward, K. (1996), *God, Chance and Necessity*. One World Publications, Rhydychen.
Ward, K. (1998), *God, faith and the New Millenium*. One World Publications, Rhydychen.

HUNANYMWYBYDDIAETH, IAITH A CHREFYDD

O edrych yn ôl a cheisio dyfalu cwrs a hynt y creadur dynol o'r amseroedd tywyll a phell hynny filiynau lawer o flynyddoedd yn ôl, nid hawdd ydyw dirnad i sicrwydd beth fu llwybr ei ddatblygiad. Nod amlycaf anthropolegwyr esblygiadol ein cyfnod ydyw ceisio darganfod a deall y digwyddiadau tyngedfennol hynny a drawsnewidiodd y creaduriaid epaol ac is-ddynol i gychwyn ar eu taith a dyfod yn raddol i goleddu y nodweddion hynny a'u trodd i fod yn ddynol fel ni. Dengys ymchwiliadau manwl y tri degawd diwethaf hyn fod cryn dipyn o gytundeb bellach rhwng llawer o'r anthropolegwyr a genetegwyr esblygiadol ynglŷn â'r datblygiadau pell-gyrhaeddol a phwysig hyn yn ein hanes fel dynoliaeth. Credaf y cyfyd rhai egwyddorion i'r wyneb y dylai pob crefyddwr bellach fod yn ymwybodol ohonynt.

Gellir rhannu stori fawr y cread yn gyfnodau gweddol amlwg. Nodaf hwy yn fyr. Ymddangosodd y bodau organig byw cyntaf rhyw bedair biliwn a hanner o flynyddoedd yn ôl: ffurfiau yn cynnwys yn unig un gell yn eu gwneuthuriad. Oddeutu biliwn o flynyddoedd yn ôl, daeth bodau amlgellog i'r darlun gan gynnwys amrywiaeth mawr o wahanol fathau yn ceisio addasu eu hunain ar gyfer y gwahanol amgylchfydau o'u cwmpas. Methu fu tynged llawer iawn ohonynt. Yn wir, y mae sicrwydd bellach fod oddeutu cant o rywogaethau wedi eu difodi am bob un ohonynt a lwyddodd i oroesi.

Ar ben hyn oll, amcangyfrifir i'r rhywogaethau dynol ddechrau esblygu oddeutu saith miliwn o flynyddoedd yn ôl. Cynyddodd y dystiolaeth i'r datblygiadau cynnar ar sail ymchwiliadau ym myd y ffosilau a geneteg moleciwlar y degawdau diwethaf hyn. Y nod ydyw dyfod i ddeall ac esbonio y digwyddiadau hynny a drawsffurfiodd y mathau cynnar i ddatblygu a dyfod yn unffurf â'n rhywogaeth ni.

I bwrpas yr ysgrif hon, rhaid canolbwyntio ar dri ymhlith y priodoleddau amlycaf a ddaeth yn gymaint rhan ohonom. Daeth dyn yn ymwybodol ohono ei hun yn gynnar iawn yn ei esblygaid, ac effeithiodd yr hunanymwybyddiaeth yn drwm iawn ar ei fywyd. Nid yw'r agwedd arbennig hon wedi gadael yr un arlliw corfforol allanol o'i ôl ac nid oes olion ffosilaidd ohono. Yn ôl Greenfield (1997), yr arbenigwraig ym myd yr ymennydd a'r meddwl dynol, y farn ar hyn o bryd ydyw fod y nodwedd arbennig yma yn cynyddu gydag aeddfedrwydd ymennydd yr unigolyn o'i febyd.

Y mae bod yn ymwybodol yn brawf diamheuol o'n bodolaeth. Ffynhonnell y cyfan ydyw'r meddwl a pherthyn iddo arwyddocâd cymhwysol o'r radd flaenaf yn y ddynoliaeth. Un o'i briodoleddau pwysicaf ydyw'r gallu a rydd i ddyn i amgyffred a gwahaniaethu ei hun fel gwrthrych yn ei gynefin. Rhydd yr ymwybyddiaeth lefel o fodolaeth i alluogi dyn i ddadansoddi ei nodweddion arbennig ac ymestyn y nodweddion hynny i fyd y dychymyg a'r ysbryd. Dyma hefyd a rydd y gallu i ddyn ffurfio syniadau haniaethol a hunan-ymchwiliol. Efallai hefyd mai dyma graidd a ffynhonnell trefn gymdeithasol a chrefyddol dyn. Anodd iawn ydyw meddwl am agweddau crefyddol o unrhyw fath a'u gwerthfawrogi heb y gallu sylfaenol yma.

Hyd yn ddiweddar iawn priodolwyd yr hunan ymwybyddiaeth yn gyfangwbl i ddyn, ond yn y blynyddoedd diwethaf hyn canfuwyd bod rhai agweddau elfennol a chynnar ohono yn bodoli yn y creaduriaid is-ddynol. Y mae gan Leakey yr anthropolegwr, dystiolaeth arbrofol yn cadarnhau hyn. Nid rhyw elfen arbennig mohono a blannwyd mewn dyn wedi iddo gyrraedd ei ddynoldeb ond un o'r priodoleddau hynny a ddaeth i aeddfedrwydd yn ei esblygiad. Yr hyn sy'n gwbl arwyddocaol hefyd yn y trafodaethau hyn ydyw'r ffaith fod y rhan helaeth o'r ymennydd dynol yn datblygu wedi geni'r unigolyn o'i gymharu ag ymennydd yr holl greaduriaid is-ddynol. Ymddengys fod eu hymennydd hwy wedi cyrraedd llawn dwf ar eu genedigaeth.

IAITH

Wrth drafod yr hunanymwybod, anodd ydyw ei ddatgysylltu oddi wrth y gallu a ddaeth i ddyn i siarad ac i ynganu. Nid oes amheuaeth o gwbl ymhlith anthropolegwyr ein cyfnod fod y gallu yma a ddaeth i'n rhan yn un o'r priodoleddau pwysicaf a'r mwyaf arwyddocaol sydd gennym. Y mae iaith lafaredig symbolaidd wedi ei ffurfio mewn brawddegau, yn gwahaniaethu ein rhywogaeth oddi wrth pob math arall o fywyd. Rhaid cydnabod bod gan rywogaethau o bob math alwadau y gall eraill o'r un rhywogaeth ymateb iddynt, ond nid oes gan yr un ohonynt iaith lafaredig a symbolaidd i drafod ac i gyfnewid syniadau haniaethol.

Er yr holl ymchwiliadau yn ystod y tri degawd diwethaf hyn, nid oes sicrwydd pryd y daeth iaith yn rhan hanfodol o'n diwylliant. Cred rhai o'r arbenigwyr mai cymharol ddiweddar ac oddeutu deugain mil o flynyddoedd yn ôl y daeth y gallu yma yn rhan ohonom. Y mae eraill o'r farn fod tarddiad iaith yn llawer hŷn, gan ddatblygu yn gyfochrog neu o ganlyniad i'r hunanymwybyddiaeth a thros gyfnodau maith yn ein hanes pellennig. Daeth dyn yn araf i wybod ac i sylweddoli ei gyfrifoldeb am ei weithredoedd ei hun ac i ymgodymu â thrafod yr hyn oedd yn dda ac yn ddrwg i'w ddyfodol. Nid oes amheuaeth fod yr ymwybod yma yn faich trwm iawn i'w ysgwyddo, ac yn sicr nid oes yr un math arall o fywyd yn gorfod ei ddwyn. Credaf fod a wnelo'r datblygiad llafaredig â'r elfennau crefyddol cyntefig cyntaf yn ein hanes fel dynoliaeth. Yn wir, anodd ydyw dirnad sut y gallasai agweddau moesol a chrefyddol o unrhyw fath ddyfod yn rhan mor anorfod o'r natur ddynol heb y gallu a ddaeth i ddyn drwy ei esblygiad i fynegi profiadau ar lafar a'u trafod gyda'i gyfoedion. Yn ei gyfrol *The Symbolic Species* a gyhoeddwyd y llynedd, dywed Terrence Deacon mai datblygiad iaith fu'n gyfrifol i raddau pell am dyfiant yr ymennydd dynol o'i gymharu ag ymennydd ein perthnasau hynafol agosaf. Rhaid ystyried hefyd a all syniadau a phrofiadau haniaethol dyn fodoli o gwbl heb ryw fath o fynegiant mewn geiriau yn gysylltiedig â hwy.

CREFYDD

Erys un nodwedd arall sy'n gysylltiedig â'r datblygiadau hyn. Gwyddys i sicrwydd bellach fod y creadur dynol wedi dechrau ymarfer â'r ddefod o gladdu'r marw o leiaf gan mil o flynyddoedd yn ôl. Yr oedd yr arferiad yn adlewyrchu parch a hiraeth ymysg y galarwyr tuag yr ymadawedig. Gwyddys hefyd fod elfennau crefyddol cyntefig yn gysylltiedig â'r weithred. Un ohonynt oedd atgyfodiad y corff. Cesglid grawn gwyllt i'w roddi yn y bedd yn lluniaeth ar gyfer y dydd hwnnw. Naturiol ydyw synio i beth o'r grawn syrthio o amgylch y bedd ac wrth i'r galarwyr ddychwelyd yn eu tro i dalu teyrnged, gwelsent fod peth o'r had a gollwyd wedi egino a thyfu. Dyma, fe gredid, oedd dechrau yr arferiad o hau ar gyfer porthiant. Ynghynt, medi yn unig oedd y drefn. Y weithred grefyddol o gredu yn atgyfodiad y corff a esgorodd ar gelfyddyd gyntaf a phwysicaf y ddynolryw.

Diddorol ydyw nodi hefyd mai'r farn gyffredinol oedd i ddyn ddechrau cynhyrchu bwyd iddo ei hun a'i dda byw oddeutu pum i chwe mil o flynyddoedd C.C. Bellach dengys ymchwiliadau diweddar a groniclir gan Jared Diamond, awdurdod yn y maes yma, fod y gelfyddyd yn bodoli ganrifoedd lawer ynghynt. Gallasai fod wedi datblygu yn fuan wedi i'r ddefod o gladdu'r marw ddod i rym.

Parodd hyn oll i ddyn sylweddoli ar hyd y canrifoedd fod cysylltiad agos a byw iawn rhwng crefydd a'r grefft o amaethu. Credid bod Duw yn bresennol yng ngwaith y sawl 'a arddo'r gweryd, a heuo faes' a bod llaw Duw i'w chanfod yn y gallu dihysbydd a briodolwyd i Natur. Yn yr eithaf, onid ydyw'r grefft o arloesi'r tir yn fwy angenrheidiol i'r ddynoliaeth gyfan nag unrhyw oruchwyliaeth arall? Daliaf i gredu bod y gwladwr yn fwy ymwybodol na neb o'r gwirionedd yn yr hen ddihareb 'Duw a fedd, dyn a lefair'. Y mae'r prawf o flaen ei lygaid yn feunyddiol.

DYFODIAD IESU

Ymysg yr holl nodweddion dynol, credaf i'r tri a nodais fod ymhlith y pwysicaf: yr hunan ymwybod, y gallu i siarad mewn iaith symbolaidd a'r arferiad o gladdu'r marw. Erys y priodoleddau hyn ymysg y mwyaf arwyddocaol yn ein hanes ar ein taith esblygiadol o'r cyfnodau tywyll hynny bell, bell yn ôl. Rhyngddynt, daeth dyn i goleddu syniadaeth grefyddol a'i cododd o lefel ei gydrywogaethau agosaf a'i ddyrchafu i fod yn gwbl unigryw.

Ond i'r Cristion, daeth dimensiwn hollol newydd i fyd dynoliaeth wrth i'r Iesu droedio'r ddaear a chyhoeddi ei Efengyl a dyfodiad ei Deyrnas. Mynegodd y gyfrinach yn ei ddysgeidiaeth ac ymddiriedodd y cyfan i'w ddisgyblion a'i ddilynwyr mewn iaith a doethineb na fu eu tebyg. 'Nid crefydd ydyw Cristnogaeth ond datguddiad'. Daeth dyn i ymwybyddiaeth cwbl newydd ohono'i hun ac eraill o'i amgylch ac fe agorwyd ffordd i ymgyrraedd at berthynas hollol unigryw rhwng Duw'r Tad a'r ddynolryw. Ein gobaith a'n braint ydyw cael ein dyrchafu i oludoedd y berthynas honno yn yr Iesu.

Y Goleuad, 1998

CYFEIRIADAU

Deacon, T. (1997), *The Symbolic Species*. Allen Lane, Llundain.

Diamond, J. (1991), *The Rise and Fall of the Third Chimpanzee*. Vintage, Llundain.

Greenfield, S. (1997), *The human brain*. Wedienfeld a Nicolson, Llundain.

Leakey, R. (1994), *The origin of humankind*. Wedienfeld a Nicolson, Llundain.

DYLANWADAU

O dderbyn gwahoddiad gan y Golygydd i gyfrannu i'r gyfres yma, bûm yn ceisio dyfalu beth oedd y ffactorau tyngedfennol hynny a ddylanwadodd fwyaf ar fy mywyd dros y blynyddoedd. Nid hawdd ydyw canolbwyntio ar rai digwyddiadau arbennig am y rheswm syml imi gredu fod holl helyntion bywyd yn cael dylanwad o ryw fath.

Un o briodoleddau pwysicaf bywyd ydyw'r ffaith anorfod fod newid a chyfnewidiadau o bob math yn rhan hanfodol ohono. Dyma sydd yn cyfrannu i lawn dwf personoliaeth.

CAPEL A CHOLEG

Wrth edrych yn ôl, bûm yn ffodus fel llawer o'm cyfoeswyr, i gael fy nwyn i fyny ar aelwyd grefyddol a'r capel yn chwarae rhan ganolog yn fy natblygiad cynnar. Wedi dyfod yn efrydydd mewn coleg, daeth llu o nodweddion gwahanol iawn eu natur i ddylanwadu. Cefais gyfle i rannu astudiaeth ac ysgoloriaeth athrawon a darlithwyr a dysgu oddi wrthynt, meithrin ffrindiau ymysg efrydwyr ac ymaelodi â gwahanol gymdeithasau; y cyfan yn llunio ac yn aeddfedu personoliaeth i gyrraedd ei llawn dwf.

O'r dyddiau hynny, un or profiadau mwyaf hapus a ddaeth i'm rhan oedd bod yn athro dosbarth Ysgol Sul o efrydwyr y Coleg ym Mangor, gryn bymtheg a mwy ohonom bob Sul yn bwrw i'r wers a cheisio egluro rhai o ystyriaethau dyfnaf bywyd a'u cyplysu â'r ffydd Gristnogol y magwyd ni ynddi. Yn araf, fe'm harweiniwyd i geisio datrys rhai ystyriaethau gwyddonol a'u heffaith ar ein ffydd fel crefyddwyr. O dipyn i beth, deuthum i ganolbwyntio ar drefn y ddynoliaeth a chael fy hun yn ymchwilio beunydd i feddyliau rhai o brif wyddonwyr esblygiadol ein hoes.

DOBZHANSKY

Y mae gennyf gof byw iawn o ddarllen rhai o lyfrau safonol arbenigwyr byd geneteg ac esblygiad yr hil ddynol a cheisio deall arwyddocâd un frawddeg ymysg llawer a wnaeth argraff ddofn arnaf, o'i chyfieithu, 'nid oes dim ym myd bioleg yn gwneud synnwyr ond yn nhermau esblygiad'. Y frawddeg hon o eiddo Dobzhansky a enynnodd ynof ddiddordeb unigryw a barhaodd hyd at heddiw. Cefais fy nenu gan gynnyrch y gŵr hwn. Ganwyd ef yn ymyl Kiev a threuliodd beth amser yn Leningrad, ond wedi cael ei ddarbwyllo gan yr hyn oedd yn digwydd yn Rwsia, ymfudodd i'r Unol Daleithiau. Yn fuan penodwyd ef yn Athro Geneteg ym Mhrifysgol Columbia ac oddi yno ym Mhrifysgol Rockefeller. Ei brif faes oedd geneteg glasurol a daeth yn awdurdod byd-eang ym myd geneteg yr hil ddynol a'i esblygiad. Yn fwy arwyddocaol efallai, daeth i arbenigo yn agweddau athronyddol a chrefyddol ei destun. Cyhoeddodd dri llyfr safonol – 'Genetics of the Evolutionary Process', 'Mankind Evolving' a 'Biology of Ultimate Concern'. Cydnabyddir ef bellach yn un o enetegwyr mwyaf yr ugeinfed ganrif. Cefais fy nylanwadu a'm hargyhoeddi ganddo. Effeithiodd yn drwm iawn ar fy nheithi meddyliol ynglyn ag esblygiad y creadur dynol, ei ddiwylliant a'i grefydd.

ESBLYGIAD

Rhaid credu bellach i'r ddynoliaeth esblygu yn y drefn Ddarwinaidd oddi wrth greaduriaid nad oeddynt yn ddynion. Gellir pentyrru tystiolaeth na ellir ei gwadu i gadarnhau'r gosodiad. Yn wir, nid ydyw'r genetegwyr yn ymchwilio bellach i fwy o dystiolaeth i brofi'r esblygiad dynol. O ganlyniad i hyn oll, nid hawdd ydyw glynu wrth y syniad oesol fod dyn wedi ei greu gan Dduw a'i fod hefyd ar ddelw'r Duwdod a derbyn ar yr un pryd, fod llawer o fethiannau a diflaniadau i'w canfod yn nhrefn ei daith esblygiadol. Drylliwyd yr athrawiaeth o benarglwyddiaeth Duw.

CHWYLDRO

Y mae astudiaethau esblygiadol hanner olaf yr ugeinfed ganrif wedi cael dylanwad pellgyrhaeddol ar gred ac wedi chwyldroi rhai o seiliau pwysicaf ein traddodiad crefyddol. O'm rhan fy hun, cefais fy nylanwadu i wynebu y datblygiadau hyn a sylweddoli eu heffaith. Cydnabyddir bellach mai dewisiad naturiol i raddau pell sydd yn nodweddiadol o esblygiad, a thrwyddo gall rhywogaethau oroesi yn yr amgylchfyd, neu fethu, a diflannu. Nid mater o siawns mohono, ond addasiad.

Yn gysylltiedig â hyn, daeth ystyriaethau eraill i fodoli wrth astudio llwybr esblygiad y creadur dynol. Un ohonynt, ac efallai y mwyaf dylanwadol, oedd y gallu a ddaeth yn raddol a thros gyfnodau maith o amser, i ddyn ddyfod i adnabod ei hun. Dyma gynneddf sydd bron iawn yn gwbl nodweddiadol o'r hil ddynol. Ni chredaf ein bod eto wedi sylweddoli yn llawn ddylanwad ac effaith y datblygiad hwn arnom.

Drwy ei ymwybyddiaeth, llwyddodd dyn i ffurfio delweddau ynglŷn â'i sefyllfa a'i ddyfodol. Daeth i fyfyrio ar ei ryddid a'i gyfrifoldeb, i wahanu rhwng da a drwg yn ei fywyd, a sylweddoli ei fod yn gyfrifol am ei weithrediadau. Yn sgîl hyn i gyd, cynyddodd ei ymdeimlad o boen ac o hyder ynglŷn â'i dynged i'r dyfodol. Daeth marwolaeth yn realiti iddo. Y mae'r ymwybyddiaeth yma ymysg y trymaf i'w hysgwyddo. Dyn yn unig sydd yn sylweddoli bod ei farw yn anochel. Amhosibl ydyw dirnad effaith yr ymwybod yma ar ddyn pan ddaeth i'w lawn sylweddoli am y troeon cyntaf yn ei hanes. Gellir dadlau'n gryf iawn mai dyma a fu yn gyfrwng iddo esgor ar syniadau i'w ddyrchafu tu draw i'w dynged naturiol ac mai oddi ar feddyliau o'r fath y tarddodd holl agweddau crefyddol a chyntefig dyn wrth iddo geisio ymgodymu â'r ffaith annileadwy hon.

Y mae canllawiau traddodiadol ein crefydd yn wrth-esblygiadol, ac er iddynt barhau fel rhannau hanfodol o'n cred am ganrifoedd, fe'u chwalwyd o ganlyniad i wyddor, a Darwiniaeth yn arbennig. Ni chredaf ein bod eto fel crefyddwyr wedi llwyr sylweddoli dylanwad hyn oll arnom. I mi, y mae'r ffydd Gristnogol yn esblygiadol i'r graddau fod ei dehongliad o Dduw tu draw i'r portread a roddir yn yr Hen Destament ac yn cyrraedd y datguddiad gan yr Iesu o Dduw fel Tad. Dyma ydyw gobaith y Cristion, y gallu sydd ganddo drwy'r Efengyl i dyfu ac aeddfedu'n llawn yn y ffydd. Ar ei lefel uchaf, y mae'r drefn esblygiadol yn rhoddi ystyr arbennig ac unigryw i fywyd yn ei gyraeddiadau Cristnogol.

Y Goleuad, 2000

CYFEIRIADAU

Dobzhansky, Th.,

Mankind evolving. The evolution of the human species (1962). Gwasg Prifysgol Yale, Llundain.

The Biology of Ultimate Concern (1969). Rapp a Whiting, Llundain.

The Genetics of the Evolutionary Process (1970). Gwasg Columbia, Efrog Newydd.

ARGYFWNG CRED – BETH YW'R ATEB?

Mewn ysgrif Olygyddol yn *Y Goleuad* (3.6.94) yn dwyn y teitl 'Ein Gwir Argyfwng' cawn ein hatgoffa fel eglwysi ein bod mewn cryn dipyn o drobwll crefyddol y dyddiau hyn. Ymddengys nad ydyw'r Efengyl bellach yn cydio ynom fel aelodau eglwysig. Nid ydyw ein haddoliad ychwaith yn berthnasol i'r bywyd sydd ohoni erbyn hyn.

Yn yr ysgrif, y mae'r Golygydd yn trafod natur yr argyfwng ac fod angen derbyn sylfeini'r ffydd Gristnogol a'u mynegi 'mewn ffyrdd sy'n gydnaws â ffordd pobl ddiwedd yr ugeinfed ganrif o ddeall ein byd ac yn berthnasol i'w bywyd'.

Prin iawn fu'r ymateb ar dudalennau *Y Goleuad* ond fel un a fu'n pendroni nid ychydig uwch neges yr ysgrif am beth amser, credaf mai craidd a ffynhonnell y cyfan ydyw argyfwng cred. Mentraf ymhelaethu ryw gymaint. Daeth dau sylw i'm cof – y cyntaf o eiddo y Cardinal Hume pan gyhoeddodd dair blynedd yn ôl a heb flewyn ar ei dafod, na allai Prydain bellach hawlio ei bod yn wlad Gristnogol, a hynny am nad ydyw ei hymarweddiad a'i pholisi presennol yn adlewyrchu fawr ddim o'i thraddodiad crefyddol. Ac yntau yn Bennaeth yr Eglwys Gatholig yn ein gwlad, rhaid cymryd ei osodiad o ddifrif. A'r ail, aeth hanner canrif heibio er i John Middleton Murry ddatgan yn bendant iawn fod y gwareiddiad Cristnogol yn prysur ddiflannu o'n gwlad.

Nid pawb efallai fuasai'n cytuno yn llwyr â'r ddau osodiad yma, ond fel y mae Golygydd y *Goleuad* yn datgan, credaf fod y sefyllfa bresennol yn argyfyngus iawn ac yn peri poen a phryder i'r Cristnogion hynny sy'n meddwl o ddifrif am gyflwr crefydd yn ein gwlad. Gwelais fwy nag un cyfeiriad yn ddiweddar at Gymru gyfoes sydd i bob pwrpas yn wlad baganaidd. Y mae'r ystadegau ynglŷn â phresenoldeb mewn capel a llan yn awgrymu hynny.

I beth mewn difrif y gellir priodoli y datblygiadau tyngedfennol hyn? Nid oes amheuaeth fod materoliaeth a seciwlariaeth ein dyddiau yn gyfrifol i raddau pell ac fod hynny yn arwain yn ddiarwybod bron at anghrediniaeth llwyr. Ni chredaf fod hyn yn cwbl egluro'r sefyllfa bresennol. Cyfyd rhesymau mwy gwaelodol a sylfaenol nad ydym ni grefyddwyr ac addolwyr wedi llawn sylweddoli a dehongli o ddifrif eu difrifwch a'u harwyddocâd. Ni chanfyddaf ychwaith fod ymgyrch wirioneddol wedi ei gwneud i ymateb yn gadarnhaol ac yn ymarferol. Efallai bod y sefyllfa wedi gwaethygu i'r fath raddau nad oes ryddhad o'i gafael, ond ni chredaf nad oes eto obaith. Yn sicr y cam cyntaf ydyw dyfod i ymrafael pendant â'r hyn a achosodd i'r sefyllfa bresennol fodoli o gwbl.

CHWYLDRO ANHYGOEL

O fewn hanner canrif, daeth newid sylfaenol a chyffredinol i allu a chyraeddiadau meddyliol dyn. Bellach rhaid sylweddoli fod o fewn ei afael alluoedd anhygoel na freuddwydiodd amdanynt ychydig flynyddoedd yn ôl. Daeth rhai ohonynt ar ein gwarthaf mor sydyn a disyfyd nes inni gynefino â hwynt i'r graddau nad ydym wedi sylweddoli eu harwyddocâd ac fod agweddau gwyrthiol yn perthyn iddynt. Nodaf un ymysg llawer ac efallai y mwyaf chwyldroadol. Daeth i ddyn y gallu i ddadansoddi'r cromosomau a'r genynnau dynol – y priodoleddau hynny o fewn celloedd y corff sydd yn adlewyrchu ac yn rheoli i raddau pell yr hyn ydym mewn gwirionedd. Gwyddys bod llawer o ddiffygion y corff i'w priodoli i ryw nam ar un neu ragor o'r genynnau hyn a'u lleoliad arbennig ar y cromosomau. Heddiw gellir eu cyfnewid fel y bo'r gofyn. A mwy na hynny, y mae rhai cannoedd o afiechydon dynol yn dilyn rhyw wendid cynhenid yn y cromosomau hyn. Dyma'r rheswm pennaf paham fod y genetegwyr ar hyn o bryd yn didoli yr holl enynnau dynol, filoedd ohonynt, i ddeall ein cyfansoddiad genetigol. Y mae enghreifftiau eraill, ond dengys yr un a nodais fod yma diriogaethau na freuddwydiodd dyn amdanynt lai na chenhedlaeth yn ôl. Y gwir ydyw fod y darganfyddiadau brawychus – nodweddion a briodolwyd gynt i fyd y Goruwchnaturiol, wedi achosi i ddirgeledigaethau bywyd fod yn llawer iawn llai goruwchnaturiol. Yn wir, daethom i gynefino â'r hyn a gyfrifid gynt yn diriogaeth a dirgelwch y Duwdod. Daw geiriau Edmund Leach i'r cof: 'When scientists play the role of God'. Efallai i hyn ymddangos yn herfeiddiol ac yn gableddus i lawer, ond cofier nad oes gan yr un gwyddonydd o safon yr awydd o gwbl i foesoli nac i amddiffyn unrhyw gredo neu grefydd. Amlygwyd y dirgel a chollodd y Duwdod ei oruchafiaeth o ganlyniad.

Y METHOD GWYDDONOL

Rhaid pwysleisio hefyd mai un o nodweddion dyfnaf a phwysicaf y gwir ymchwilydd gwyddonol ydyw canfod y gwirionedd er mwyn y gwirionedd. I gyrraedd y gwrthrychedd eithaf, rhaid ymgadaw rhag pob agwedd o foesoldeb a chyfyngiadau crefyddol traddodiadol. Dyma ddadl fawr Syr Karl Popper (1992). Daeth y meddylfryd gwyddonol yn un o ddatblygiadau mwyaf tyngedfennol ein cyfnod. Nid oes diben o gwbl i geisio ysgaru ein hunain o'i afael am y rheswm syml ei fod yn gwbl ddibynnol ar ysbryd ymchwiliadol unigryw ac yn gwbl barod i gyfaddef methiant a chamgymeriad. Afrad llwyr iddo ydyw pob math o ddogma. Un o brif briodoleddau yr ymgyrch wyddonol ydyw cwestiynu popeth a ddatgelir drwy ymchwil. Bron na ddywedaf mai nodwedd bwysicaf y gwir ymchwilydd wedi iddo sefydlu damcaniaeth, ydyw ceisio wedyn gyda'i holl allu i wrthbrofi'r ddamcaniaeth honno yn hytrach na chwilio am bob math o dystiolaeth ychwanegol i'w chadarnhau a'i phrofi'n gywir.

Credaf fod hyn ynddo'i hun yn gwbl estronol a dieithr i'r traddodiad crefyddol ac yn torri ar draws y gred oesol yn Nuw'r Hen Destament — y Creawdwr a greodd bopeth mewn perffeithrwydd, a luniodd y ddeddf foesol ac a saif i farnu'r ddaear. Dyma ddeuoliaeth sydd heb ei sylweddoli. Pan fo dyn a'r gallu ganddo i ddatrys holl nodweddion genetigol bywyd ac i egluro priodoleddau gronynnau sydd fil o weithiau yn llai na'r atom er mwyn dadansoddi sut y daeth y cosmos i fodolaeth o gwbl, nid ydyw rhyfeddodau'r cread yn ddim byd mwy na chyfres o fecaniaethau yn hytrach na dirgeledigaethau a fu'n gyfrwng am ganrifoedd i gadw dyn i ryfeddu yn yr Hollalluog ac i lwyr gredu ynddo.

Ni chredaf y daw eto lewyrch ar ein cyfundrefnau crefyddol a'u hapêl heb inni fel credinwyr feddwl o ddifrif am y sefyllfa bresennol a cheisio canfod yr ateb sylfaenol. Ni thybiaf ychwaith mai rhygnu yn yr hen rigolau gan ddisgwyl y daw gweledigaeth maes o law ydyw'r ateb. Rhaid wrth ymchwiliad gonest a dadansoddiad ddiragfarn i gwbl sylweddoli'r holl gyrhaeddiadau sydd yn adweithio i'r wyneb yn yr oes sydd ohoni.

ANGEN AIL FEDDWL

Wedi cryn dipyn o fyfyrio am lawer blwyddyn, daw yn gwbl eglur i mi bellach fod angen ailfeddwl rhai o egwyddorion ein cred draddodiadol. Tybed a oes llwybr newydd? Brysiaf i bwysleisio na all unrhyw ffurf o wyddoniaeth fodloni'n llwyr holl briodoleddau dyfnaf cred a ddaeth yn gymaint rhan o'r creadur dynol yn fuan yn ei esblygiad. Priod waith pob gwyddonydd ydyw darganfod a dadansoddi popeth sy'n bodoli yn y cread ond fe ddaeth i'r creadur dynol yn ei esblygiad cynnar y dyhead i ddarganfod ac i ddehongli beth ddylai fodoli. Ond wedi dweud hynny, rhaid cydnabod na all unrhyw gredo sy'n gwrthod derbyn rhai o ganlyniadau mwyaf gwaelodol y wyddor esblygiadol a biolegol fyth fod yn gwbl dderbyniol a chredadwy i'r genhedlaeth sydd ohoni. Dyma ddywed y genetegwr byd enwog a'r Cristion o Rwsia – Theodosius Dobzhansky. Yn ei lyfr *The Biology of Ultimate Concern* geilw am synthesis crefyddol. Ym marn yr awdur rhaid i'r synthesis fod wedi ei sylfaenu ar y ffydd Gristnogol ond fod angen bellach i'r gredo gydredeg gyda'r agweddau esblygiadol o fywyd. Yn y cysylltiadau hyn, un o briodoleddau hanfodol bywyd ydyw ei fod yn newid yn barhaus. 'Nothing endures but change' meddai Heraclitus. Rhaid edrych ar fywyd yn ei holl amgylchiadau yn rhan o un broses fawr sydd yn esblygu ac yn myned rhagddo. Yn rhyfedd, nid yw derbyn yr holl egwyddorion yn peri trafferth. Credaf fod i'r ffydd Gristnogol agweddau cwbl hanfodol sydd â'u pwyslais ar y newid parhaol sydd mor nodweddiadol o fywyd. Onid ydyw y dehongliad o Dduw a geir yn y Beibl yn newid? Y mae gwahaniaeth mawr yn y portread a geir o Dduw yn yr Hen Destament o'i gymharu â'r darlun yn y Salmau a'r dehongliad o Dduw yn Dad ac yn llawn cariad a geir yn yr Efengyl. Y mae'r Iesu yn uniaethu Ei hun gyda'r Tad – 'Myfi a'r Tad un ydym' ac meddai wedyn 'Y sawl a'm gwelodd I a welodd y Tad'.

Y mae yn yr Efengyl hefyd elfennau cwbl eglur o esblygiad dyn yn ei ymgais i ymgyrraedd i fod yn Gristion cyflawn. Dengys amryw o ddamhegion yr Iesu fod tyfiant yn rhan o'r broses i gyrraedd yr aeddfedrwydd fel dinasyddion yn y Deyrnas yr oedd yr Iesu am ei sefydlu ar y ddaear. Meddai'r Iesu – 'Myfi yw y ffordd, y gwirionedd a'r bywyd'. Onid oes yma sialens i'w ddilynwyr i gerdded y ffordd, dyfod i adnabod y gwirionedd ac etifeddu'r bywyd? Dyma lefel o esblygiad cwbl unigryw a'r mwyaf un y gall dyn anelu ato. Erys o hyd yn sialens i bawb sydd yn arddel enw'r Iesu.

Y Goleuad, 1994

CYFEIRIADAU

Dobzhansky, T. (1969), *The Biology of Ultimate Concern*. Rapp a Whiting, Llundain.

Popper, K. (1992), *In search of a better world.* Routledge, Llundain.

EIN TRAS A'N CREFYDD

A barnu oddi wrth nifer y llyfrau yn trafod gwyddor a chrefydd a ymddangosodd yn ystod y deng mlynedd diwethaf, a'r trafodaethau yn y wasg a thrwy'r cyfryngau, rhaid cydnabod bod y ddadl rhyngddynt yn dal yn ei hanterth o hyd.

Mae'n debyg mai Darwiniaeth a'r ddamcaniaeth esblygiadol a enynnodd yr holl drafodaeth, ac er i'r ddadl dawelu o dro i dro, erys y broblem sylfaenol heb ei datrys yn derfynol. Credaf fod Darwin wedi cael effaith andwyol ar gredo ac yn arbennig felly ar ein crefydd draddodiadol, ac ef oedd y cyntaf i gyffesu hynny. Yn anffodus o ran datrys y broblem, ymddengys i mi nad oes eto ddigon o drafodaeth glir a gwaelodol rhwng y diwinyddion ar y naill law a'r gwyddonwyr esblygiadol ar y llall. Y duedd ydyw i theistïaid wrthod dod i'r afael â rhai o'r casgliadau a ddaeth i'r wyneb yn y blynyddoedd diwethaf hyn gan y neo-Ddarwiniaid a'r genetegwyr molecwlaidd.

Tybiaf mai'r prif reswm dros hyn ydyw'r ffaith sylfaenol i wyddonwyr ein cyfnod ni yn arbennig brofi yn effeithiol gywir holl lwybr esblygiad bywyd. Fe ailddiffiniwyd Darwiniaeth hyd at y presennol ac nid oes angen bellach ymchwilio ac arbrofi ynglŷn â ffeithiau newydd i'w cadarnhau. A chyda'r cyfrifiaduron modern, gellir estyn llwybr esblygiad i'r dyfodol. Dyma faes sy'n datblygu'n brysur ar hyn o bryd, ac fe all y canlyniadau fod yn arswydus o'u sylweddoli'n llawn. Yn wir, efallai mai dyma sydd wrth wraidd yr holl ymrafael sy'n bodoli a bod hyn yn golygu bod llawer yn ymwrthod.

Yn wahanol iawn i wyddor, y mae crefydd o bob math mewn dimensiwn gwahanol. Nid ydyw yn ymateb i ffeithiau y gellir eu profi a'u cael yn gywir neu'n anghywir. Yn wir, os gall arbrawf brofi cywirdeb datganiad o unrhyw fath, gellir dadlau yn gryf nad crefyddol mo'r datganiad hwnnw yn y bôn. Nid oes angen y mymryn lleiaf o ffydd i gredu mewn ffaith sydd eisoes wedi ei phrofi'n gywir drwy arbrawf. Yn grefyddol, erys gwirioneddau i'w datguddio sydd mewn byd na all gwyddor fyth ei droedio. Y mae'r cynllun yn rhy fawr ac ofnadwy i unrhyw ddamcaniaeth wyddonol ddechrau ei egluro. O ganlyniad, rhaid wrth gynllluniwr a chreawdwr. Ond wedi dweud hynny, y mae angen pwysleisio bod rhai agweddau ar ein crefydd draddodiadol sydd bellach wedi eu profi yn wallus gan wyddor, ond sy'n cael eu harddel o hyd fel canllawiau cadarn a diysgog gan gredinwyr selog.

Un o'r lladmeryddion mwyaf blaenllaw yn eu dehongliad nad esblygiad Darwinaidd ydyw'r eglurhad terfynol ar y byd sydd ohoni ydyw yr Athro Polkinghorne – ffisegydd o fri, yn gymrawd o'r Gymdeithas Frenhinol ac ar hyn o bryd yn Ganon Diwinyddol Cadeirlan Lerpwl. Ei ddadl sylfaenol ef ydyw fod holl ogoniannau a phriodoleddau bywyd yn ei amryfal ffyrdd a chan gynnwys dyn, mor rhyfeddol a chymhleth fel na allai esblygiad noeth fyth gyfrif amdanynt a'u hesbonio'n llawn. Dyma un o brif rediadau ei gyfrol ddiweddaraf, *Beyond Science* (1996). Y mae Polkinghorne yn amddiffyn gwyddor fel un ffynhonnell o wybodaeth o fewn ei maes arbennig a'i chyfyngiadau ei hun. Ond er hynny, pwysleisia y ffaith na all gwyddor o unrhyw fath fodloni y syched sydd mewn dyn i ddehongli cyfrinachau mawr y cread nac ychwaith i egluro ei natur ef ei hun.

Y mae gwirioneddau gwyddonol i'w darganfod o hyd. Enghraifft o hyn ydyw yr ymchwil gan ffisegwyr i ddod o hyd i'r proton a'r niwtron, a'r rheiny yn eu tro yn arwain at y cwyrc a'r glwon. Dywed Polkinghorne fod hyn oll ymysg gorchestion mwyaf yr ugeinfed ganrif. Serch hynny, meddai, y mae i fywyd ei ystyr a'i bwrpas i'w gwblhau ac er i Ddarwiniaeth ddirnad yn rhannol, darlun anghyflawn a rydd o angenrheidrwydd. O ganlyniad rhaid priodoli yr holl gread a'r cosmos i allu goruwch naturiol. Ond wedi dweud hynny, y mae Polkinghorne yn mynegi'r syniad na chreodd Duw fyd gorffenedig ond yn hytrach, fyd â'r gallu ganddo i esblygu a bod i'r esblygiad hwnnw bwrpas dwyfol.

Rhydd y ddadl yma amlinelliad modern o'r hyn a fynegwyd gan John Ray a William Paley flynyddoedd lawer yn ôl – y ddadl fod holl arfaethau bywyd a'u nodweddion nodedig ac unigryw y tu hwnt i esboniad a phob damcaniaeth, a'u bod hefyd y tu draw i ddirnadaeth dynol. Rhaid oedd credu mewn cynllun sylfaenol a phendant wedi ei briodoli i Dduw.

Yn y blynyddoedd diwethaf hyn, chwalwyd y ddadl yma yn gyfan gwbl gan Dawkins ac eraill. Iddynt hwy, dewisiad naturiol sydd wrth wraidd pob math o fywyd – y proses hwnnw sy'n hollol ddall ac heb bwrpas o unrhyw fath i'w ganfod ynddo, na ffordd ychwaith wedi ei ragfynegi yn yr arfaeth ar ei gyfer. Dyma i'r neo-Darwiniaid sy'n cyfrif am holl amrywiaeth bywyd. Ac wrth i fywyd addasu ar gyfer yr amgylchfyd, y mae methiannau a thrychinebau yn anorfod. Nid hawdd ydyw egluro'r gwastraff didostur yng ngoleuni'r drefn ddwyfol.

Credaf mai prif gymhelliad Polkinghorne fel gwyddonydd ydyw ceisio dealltwriaeth gwir gynhwysfawr wedi ei sicrhau ar ei ffydd grefyddol a dyfod o hyd i'r ddamcaniaeth uchaf am bopeth wedi ei seilio ar ei gred anorfod yn Nuw.

Arbenigwr a diwinydd arall a wnaeth gyfraniad pwysig ar ran y theistiaid yn y maes hwn ydyw Keith Ward, Athro Diwinyddiaeth ym Mhrifysgol Rhydychen. Ymddangosodd ei gyfrol *God, Chance & Necessity* yn 1996. Ynddi y mae Ward yn anghytuno'n gryf â Richard Dawkins a Peter Atkins ymysg eraill wrth iddynt hwythau draethu yn huawdl mewn sawl cyfrol ar naturoliaeth esblygiadol wedi ei sylfaenu ar Ddarwiniaeth fodern. Dengys Ward nad ydyw gwyddor o'r fath yn tanseilio'r gred yn Nuw'r creawdwr. Ei ddadl ydyw fod y dehongliad diwinyddol yn llawer cryfach o'i gymharu â Darwiniaeth, ac mai'r rhagdybiaeth o Dduw gyda'i bwrpas gwrthrychol a'i werthoedd tragwyddol ydyw'r ffordd orau, ac ond odid, yr unig ffordd i ddehongli'r cread a'r cwbl sydd ynddo. Pwysleisia y gred i Dduw greu'r bydysawd er mwyn iddo fwynhau ei realiti gydag eraill – bodau a ddaeth yn ymwybodol o'r adnabyddiaeth o Dduw, a'r gallu ganddynt i garu'r Duw hwnnw.

Y mae Duw, y meddwl cosmig, yn bodoli o angenrheidrwydd medd Ward a'r gallu ganddo i gwmpasu holl ddeddfau'r cosmos. Hebddo ef ni allasai dim fod wedi bodoli. O ganlyniad y mae Ward yn mynegi'n hollol glir y rheswm pennaf dros fodolaeth y bydysawd. Daeth y cyfan i fod er mwyn i ddyn sylweddoli y gwerthoedd dyfnaf a mwyaf uchelgeisiol y gall anelu atynt. O fethu sylweddoli a gwerthfawrogi yr egwyddor yma, ni ellir o gwbl ymafael â'r syniad o Dduw.

Yn rhyfedd iawn, mae Ward a Polkinghorne yn eu tro yn trafod rhai o agweddau a nodweddion arbennig y creadur dynol. Perthyn i ddyn rai priodoleddau sydd yn gwbl unigryw i'w ddynoldeb. Yn eu plith, rhestrir yr ymdeimlad dwfn o boen, y syniadaeth o wirionedd, o rinweddau, daioni a diwylliant, ac efallai y mwyaf oll ohonynt, y gallu i synio am Dduw a cheisio ei addoli.

Rhaid ymresymu wedyn a cheisio ateb sut y daeth hyn oll yn rhan o'r etifeddiaeth ddynol wrth i ddyn esblygu oddi ar greaduriaid is-ddynol. Er nad ydyw y naill na'r llall o'r awduron hyn yn trafod y cwestiwn, y mae sicrwydd bellach i'r cyfan oll ddatblygu wrth i ddyn esgor ar ei hunanymwybyddiaeth. Dengys ymchwiliadau diweddar i'r bywyd dynol ddod yn ymwybodol ohono'i hun ryw ddwy filiwn o flynyddoedd yn ôl. Datblygodd yr ymwybod yma yn gyflym wrth i ddyn goleddu dulliau o fynegiant, a dechrau cyfathrebu yn ieithyddol a chyfnewid barn. Erbyn heddiw, y mae'r hunanymwybyddiaeth ymysg y priodoleddau mwyaf arwyddocaol sydd gennym. Ond yr oedd pris i'w dalu. Wrth i'r hunanymwybod gynyddu, daeth y creadur dynol yn raddol i ymwybod â marwolaeth. Ni chredaf y gall neb ohonom ddechrau dirnad yr effeithiau dirdynnol a ddaeth ar ddyn yn rhinwedd yr ymwybod yma wrth iddo ei wynebu am y troeon cyntaf. Nid oes amheuaeth ychwaith mai dyma yn raddol a barodd i ddyn synfyfyrio am ddihangfa oddi wrth ei dynged anochel. Daeth yn raddol i goleddu syniadau am anfarwoldeb a byd arall ac fod i ddyn enaid a bery tu draw i angau. Yn ôl Ward, dyma un hanfod na all gwyddor fyth ei datrys. Dywed fod y cyfan ym mwriad y Duw tragwyddol a hollalluog ar gyfer y ddynoliaeth ac fe bwysleisir y ffaith fod yr ymwybyddiaeth ddynol a'r cwbl sy'n gynwysedig ynddi i'w phriodoli i Dduw'r creawdwr. Er hynny y mae'r dystiolaeth yn cynyddu – fod yr elfen hanfodol hon wedi ennyn lles a mantais goroesol mor fawr nes bod rhaid credu mai dewisiad naturiol a'i hysgogodd. A mwy na hynny, dengys arbrofion diweddar fod argoelion pendant o'r hunanymwybod i'w canfod ymhlith y creaduriaid is-ddynol. (Richard Leakey, 1994).

Dros y blynyddoedd, rhoddwyd cryn dipyn o sylw i hyn oll gan athronwyr, ond bellach daeth y testun yn faes ymchwil i lawer o wyddonwyr a genetegwyr blaenllaw ein cyfnod. Y mae cyfrolau Francis Crick, A. G. Cairns-Smith, Richard Leakey a Dobzhansky yn brawf digonol o hynny. Yn ôl Crick, y genetegwr a ddatgelodd gyfrinach fawr etifeddeg (gyda James Watson), nid ydyw holl weithgareddau y meddwl, yr ymdeimlad, yr ymagweddau dynol a'r ymwybyddiaeth yn ddim ond canlyniad effeithiau miliynau o niwronau yn yr ymennydd a bod y cyfan o dan lywodraeth dewisiad naturiol yn ein hesblygiad. O astudio cyfrolau yr arbenigwyr hyn, byddaf yn digalonni ar adegau ac yn ofni hefyd a ellir fyth gwmpasu'r holl astudiaethau gwyddonol a diwinyddol yn un ddamcaniaeth y gall pawb ei derbyn. Hawdd iawn ydyw anobeithio.

Yn ddiarwybod i lawer efallai, cred y gwyddonwyr esblygiadol fod dewisiad naturiol yn rym hanfodol yn nhrefn esblygiad bywyd. Ond o safbwynt y creadur dynol, gyda'i foes, ei ddiwylliant, ei hunan-ymwybod a'i grefydd daeth y grym yma yn llawer iawn llai pwysig yn ei fywyd. Cafodd ei ddiorseddu i raddau pell iawn gan ddewisiad dynol. Y mae gan ddyn bellach y gallu i ddewis o blith yr holl briodoleddau sy'n rhan o'i ddynoldeb. Er imi frwydro'n hir rhwng crefydd a gwyddor, credaf mai'r dylanwad uchaf un ar y dewis ydyw'r ffydd Gristnogol. Yr angen ydyw i ddyn ddyfod yn argyhoeddedig fod yr egwyddorion a'r ffordd o fyw a ddatgelwyd i'r byd drwy Grist yn gwbl angenrheidiol i'r ddynoliaeth. Daliaf i lynu wrth fy ngobaith.

Cristion, 1997

CYFEIRIADAU

Cairns-Smith, A. G. (1985), *Seven Clues to the Origin of Life*. Gwasg Caergrawnt.

Crick, F. (1994), *The Astonishing Hypothesis*. Efrog Newydd.

Dobzhansky, Th. (1969), *The Biology of Ultimate Concern*. Rapp a Whiting, Llundain.

Leaky, R. (1994), *The Origin of Humankind*. Weidenfeld a Nicolson, Llundain.

Polkinghorn, J. C. (1996), *Beyond Science*. Gwasg Caergrawnt.

Ward, K. (1996), *God, Chance and Necessity*. One World Publications, Rhydychen.

FFYDD, CRED A GWYDDOR

Er bod llawer iawn o drafod ac ymchwilio wedi bod ym myd crefydd a gwyddor yn bodoli yn ystod y blynyddoedd diwethaf hyn, erys cryn dipyn o dyndra o hyd rhwng y Theistiaid a'u traddodiad crefyddol ar y naill law ar gwyddonwyr biolegol a'u cyraeddiadau esblygiadol hwythau ar y llall. Hyd yma nid oes atebion pendant i'r llu gwahaniaethau sy'n bodoli rhwng y ddwy garfan, er bod llawer ymgais wedi ei gwneud i'w datrys.

Yr anhawster bellach ydyw fod y cyraeddiadau ymchwiliadol a'u harbenigrwydd ym myd crefydd a gwyddor fel ei gilydd wedi ymestyn i'r fath raddau fel mai amhosibl bron ydyw i unigolion o arbenigwyr yn y gwahanol astudiaethau werthfawrogi arwyddocâd a chanlyniadau ymchwil yn y meysydd hyn. Gorchwyl anodd ydyw eu cymhathu. Y perygl ydyw dyfod i gredu nad oes man cyfarfod a bod hyn i gyd yn cael effaith andwyol ar gred a chrefydd fel ei gilydd a bod eu tynged fel y cyfryw yn y fantol. Daw hyn i'r amlwg yn eglur ddigon mewn unrhyw drafodaeth yn ymwneud â ffydd a gwyddor. Yn gwbl sylfaenol i hyn oll, ac o gofio i ddyn esblygu o greaduriaid nad oeddynt yn ddynol, rhaid wynebu sut y daeth dyn yn ymwybodol o ffydd a'i choleddu fel rhan annatod ohono am y tro cyntaf yn ei hanes hir a chymhleth. Beth a barodd i ddyn yn ei esblygiad ddod yn greadur ffyddiog? Ni ellir gwadu'r ffaith fod ffydd wedi chwarae rhan hanfodol a thyngedfennol iawn yn ei ddatblygiad a'i fod yn un o'r priodoleddau hollol unigryw a berthyn i'r ddynoliaeth gyfan. Onid dyma hefyd un o'r priodoleddau a enynnodd yr arbenigrwydd crefyddol mewn dyn? Daeth dyn i ymarfer â ffydd efallai am y tro cyntaf yn ei hanes wedi iddo ddod yn ymwybodol o farwolaeth ac atgyfodiad y corff. Y mae'r ddefod o gladdu'r marw yn myned yn ôl o leiaf gan mil o flynyddoedd ac yr oedd yn arferiad i roddi lluniaeth yn y bedd ar gyfer yr atgyfodiad pan ddelai. Dengys y weithred hon ffydd ddiysgog yn yr atgyfodiad ac y mae tystiolaeth gref dros gredu mai dyma'r weithred gyntaf oll o eiddo'r creadur dynol sydd wedi ei sylfaenu ar ffydd.

Ceir llawer iawn o gyfeiriadau at ffydd yn y Beibl ac er nad yw'r gair yn ymddangos yn aml o bell ffordd yn yr Hen Destament, y mae llu o enghreifftiau ohono yn britho ei lyfrau a'r Salmau fel ei gilydd. Ond yn y Testament Newydd ac o amgylch yr Iesu, ei weithrediadau a'i eiriau, y daw gwir natur y gair i'r wyneb, ac y mae llawer ohonynt yn pwysleisio'r elfen weithredol sydd ynghlwm wrth ffydd. Ohono ef a thrwyddo ef y mae ffydd yn gweithredu i'r Cristion. Nodaf ddwy enghraifft:

(i) Yr Iesu yn iacháu'r dyn wedi ei barlysu. Pedwar yn methu cludo'r claf o'r parlys at yr Iesu oherwydd y dyrfa ac yn di-doi y to o'r herwydd. Daw'r elfen weithredol i'r wyneb yn gryf iawn yng ngeiriau'r Iesu, 'Pan welodd Iesu eu ffydd hwy'.

(ii) Yr Iesu yn melltithio'r ffigysbren diffrwyth. Dyma weithred arbennig iawn o eiddo'r Gwaredwr ac yn adlewyrchu dewrder a menter anghyffredin a hynny heb fod yn ymdoddi i mewn i ymarweddiadd a pherson yr Iesu a'r darlun a geir ohono yn gyffredinol yn yr Efengylau.

Efallai bod cysylltiad rhwng y weithred hon a'r hyn ddigwyddodd ychydig ynghynt wrth i'r Iesu lanhau'r deml – gweithred arall gynhyrfus o'i eiddo. Yn ôl yr hanes, daeth chwant bwyd arno ac fe welodd goeden ffigys heb ffrwyth arni. Y mae'r Iesu'n melltithio'r goeden a hithau heb fod yn adeg ffigys. Crinodd y goeden, a thrannoeth tynnodd Pedr sylw'r Iesu at y ffaith. Atebodd yr Iesu, 'Bydded gennych ffydd yn Nuw', ac wedi sôn am ffydd, y mae'r Iesu yn cyfeirio at weddi a maddeuant – 'er mwyn i'ch Tad sydd yn y nefoedd faddau i chwithau eich camweddau'. Yr hyn sydd yn allweddol yn yr hanes ydyw fod yr Iesu wedi cadw ei ffydd drwy'r cyfan. Dyma'r unig gyfeiriad yn yr Efengylau ohono yn annog ei ddilynwyr i gadw eu ffydd yn Nuw.

Agwedd arall ar ffydd sydd yn allweddol ydyw fod yn rhaid i ffydd wrth wrthrych. I'r credinwyr, y gwrthrych terfynol ydyw Duw ac y mae'r gred yn Nuw yn dibynnu'n gyfan gwbl ar wirionedd y datganiad fod Duw yn bod. O ganlyniad y mae'n rhaid wynebu'r cwestiwn a ydyw'r gred yn Nuw yn un deg a rhesymol? Yn y cysylltiadau yma, hawdd ydyw myned ar gyfeiliorn wrth gredu'n ormodol, ac o ganlyniad ddioddef o gredu ym mhopeth a bod yn hygoelus a difeddwl ynglŷn â'r cyfan. Beth felly yw'r berthynas, os oes perthynas o gwbl, rhwng ffydd a rheswm? Y farn gyffredinol ydyw fod ffydd yn ymestyn tu draw i reswm noeth. Dyma ergyd fawr yr unfed bennod ar ddeg o'r llythyr at yr Hebreaid. Eto i gyd, nid ydyw hynny ynddo'i hun yn rhoddi gwarant i gredu bod ffydd yn hollol ar wahân a heb gysylltiad o gwbl â rheswm. Dywedir i Bertrand Russell fethu a chredu yn Nuw am nad oedd digon o dystiolaeth resymegol ganddo o fodolaeth Duw. Serch hynny, gellir hawlio bod rhai egwyddorion crefyddol yn hollol tu draw ac mewn dimensiwn gwahanol i holl alluoedd rheswm allu eu cyrraedd. Dyma yn sicr un o ddirgelion mawr ffydd yn ei hanfod.

Nid oes amheuaeth o gwbl nad oedd y chwyldro gwyddonol o ddyddiau Galileo yn yr ail ganrif ar bymtheg, Darwin a Huxley yn y bedwaredd ganrif ar bymtheg, a'r holl neo-Darwiniaid drwy'r ugeinfed ganrif wedi codi problemau dyrys a chwyldroadol ym myd cred ac ym myd ffydd yn arbennig. I raddau pell bellach, aeth ffydd yn rhywbeth afreal a llai pendant. Fel crefyddwyr, ni chredaf ein bod eto wedi sylweddoli effaith hyn oll ar ein cred. O edrych ar y gwyddorau biolegol ac esblygiadol ar un llaw a'u cymharu ag astudiaethau athronyddol a diwinyddol ar y llall, y mae'r problemau a gyfyd wedi cynyddu i'r fath raddau fel bod ffydd y Cristion mewn llawer o hanfodion ei grefydd wedi eu 'sigo, os nad eu dryllio'n enbyd.

Fel yr awgrymais eisoes, y mae ffydd yn ymwneud â llawer o wirioneddau nad oes tystiolaeth weladwy a thiriaethol yn perthyn iddynt. Ac yn amlach na pheidio, y mae'r hyn sydd gan y credinwyr i'w ddweud wedi ei sylfaenu ar ysbrydoliaeth, a'r ysbrydoliaeth honno yn codi oddi ar gred ddi-sigl a'u ffydd yn y gred honno. I'r gwrthwyneb, y mae'r gwir wyddonydd bob amser yn chwilio am brofion i ategu, i wireddu neu i wrthbrofi unrhyw ddamcaniaeth o'i eiddo, a mwy na hynny, rhaid i'r dystiolaeth fod ar gael i bawb sy'n awyddus i'w dadansoddi a'i beirniadu. Dyma un o briodoleddau pwysicaf unrhyw wyddor, os nad y mwyaf un. Y mae'r gwyddonydd, wedi iddo ffurfio damcaniaeth drwy arbrawf, yn myned wedyn i geisio tystiolaeth, nid i brofi'r ddamcaniaeth honno yn gywir, ond i'w gwrthbrofi a'i chael efallai yn wallus.

Pwysleisiwyd yr egwyddor sylfaenol hon gan lawer dros y blynyddoedd, ond gan neb yn well na Karl Popper (1992). Meddai ef: 'The crucial idea in science is not proof but disproof, not the facts that confirm our ideas, but the facts that falsify them'. Erys damcaniaeth sydd heb fod yn agored i'w gwrthbrofi, yn ddiystyr ac yn gamarweiniol. 'In sciences', meddai Popper, 'there is no great work based merely on inspiration'. Y mae gwyddor yn dibynnu ar sicrwydd neu ansicrwydd drwy arbrawf. Rhaid iddi fod yn rhywbeth cyhoeddus, cymunedol, rhywbeth i'w rannu nid drwy awdurdod neu argyhoeddiad arbennig neu weledigaeth, ond yn hytrach drwy dystiolaeth arbrofol y gellir ei chyflwyno i bawb i'w barnu yn agored. Dyma ffynhonnell fawr y gwrthdaro sydd yn bodoli heddiw rhwng ffydd a gwyddor. Cyfyd agwedd arall ynglŷn â ffydd a gwyddor yn y cysylltiadau yma. Ni all gwyddor o unrhyw fath, yn gemegol, yn ffisegol neu yn fiolegol, fyth hawlio'r gwirionedd terfynol. Mynegiant ydyw o wirionedd sy'n cael ei gyfrif yn wir a heb ei brofi'n wallus ar y pryd. Efallai na ellir ei alw yn wirionedd yn ystyr ddyfnaf y gair. Wrth i ymchwil a thystiolaeth newydd godi i'r wyneb, gall datganiad o'r fath ddiorseddu'r hen. Yn cyferbynnu â'r agweddau yma ym myd gwyddor, y mae ffydd grefyddol yn gysylltiedig â dogma, ac yn hawlio gwirioneddau sy'n hollol anghyfnewidiol, sy'n dragwyddol eu natur ac yn absoliwt. Ymddengys fod hyn yn wir er bod cryn dipyn o ddadleuon yn bodoli o hyd ymhlith yr athronwyr a'r diwinyddion wrth iddynt geisio gwahaniaethu rhwng gwirioneddau crefyddol, athronyddol a dychmygol. Nid ydyw hyn yn awgrymu nad oes gan y gwyddonydd yntau unrhyw fath o ffydd. Erys ei ffydd ef yn ei allu ei hun, ei waith a'i ymchwil, ar ddamcaniaeth a gyfyd o'r ymchwil a'r dystiolaeth sy'n gwireddu'r ddamcaniaeth honno ar y pryd. Nid yw ffydd y gwyddonydd byth yn ymestyn i diriogaeth tu draw i allu a thystiolaeth y gwyddonydd ei hun, a hynny am y rheswm ei fod ef yn ymwybodol mai rhywbeth dros dro ydyw'r dystiolaeth honno ac y gellir ei gwrthbrofi wrth i fwy o wybodaeth ddod i'r wyneb.

Yn yr oes sydd ohoni, y mae'r pwyslais bellach ar geisio deall yr hyn sy'n digwydd yn y bydysawd o'n cwmpas a chael eglurhad arno.

Nid ydyw dyn yn fodlon bellach i gydnabod Duw a phriodoli'r cyfan yn ffyddiog iddo. Heddiw yr ydym yn medru rhyfeddu at wychder a gogoniant y cread heb o angenrheidrwydd briodoli'r cyfan i Dduw a'i gyplysu â'n cred a'n ffydd ynddo. Y mae'r datguddiad a ddaeth drwy wyddor ac ymchwil yn gyfrifol dros i ddyn bellach anwybyddu ffydd a cholli argyhoeddiad. Nid ydyw'r eglurhad am y cread, pa mor fanwl bynnag y bo, yn tynnu yr un mymryn oddi wrth ei ryfeddod a'i wychder. Fel y dywed Dawkins (1998), 'A glance through a microscope at an ant's hair, or through a telescope at a long ago galaxy, makes parochial the songs of praise'. Credaf fod hyn yn wir hefyd ym myd ffiseg. Am ganrifoedd nid oedd deall ar fyd mater a'i wneuthuriad. Erbyn heddiw daeth y ffisegydd i ddealltwriaeth o'i fyd, gan ryfeddu ac arswydo oherwydd yr hyn a ddatgelwyd – byd y proton, y glwon ar cwyrc. Y mae'n wir fod rhai o hyd yn pwysleisio'r elfen gyfriniol (Polkinghorne, 1998) ond nid oes yr un rheidrwydd erbyn heddiw i briodoli'r cyfan i Dduw. A bod yn deg a'r gwyddonwyr, y mae llawer ohonynt yn canfod elfennau o ddychryn wrth i ddrama fawr y cread ymagor o'u blaen a datgelu ei chyfrinach. Dywed rhai fod hyn oll o'r un natur yn ei hanfod â'r ymwybod crefyddol. 'Science', meddai Popper (1992), "is one of the greatest spiritual adventures man has ever known". Ond, erbyn heddiw, nid oes fawr neb o'r gwyddonwyr hyn yn priodoli'r holl ryfeddodau i'r Goruchaf. Bu llwyddiant syfrdanol ym myd ymchwil i egluro nodweddion a chymhlethdodau'r cread a bywyd. Bellach nid oes rheidrwydd i gredu hyd yn oed yn Nuw'r bylchau. O ganlyniad effeithiwyd yn andwyol ar ffydd yr unigolyn. Rhaid sylweddoli hefyd nad rhywbeth a ddigwyddodd o fewn yr ychydig flynyddoedd diwethaf ydyw hyn oll. Canlyniad cyfnod yr ymoleuo ac Oes y Rheswm a ddechreuodd ganrif a hanner a mwy yn ôl sy'n gyfrifol i raddau pell iawn. Rhoddwyd pwyslais ar ganlyniadau datblygiadau gwyddonol eu natur a Darwiniaeth yn arbennig. Bu cryn dipyn o ddadlau rhwng y diwinyddion a'r Theistiaid ar un llaw a dilynwyr Darwin ar y llall. I raddau pell y Darwiniaid a orfu. Collodd ffydd ei grym a daeth amheuaeth i siglo cred draddodiadol y crefyddwyr. Dywed Griffith (1999) y gellir ystyried Diwygiad 1859 fel ymatebiad ffwndamentalaidd i'r ansicrwydd a'r seciwlariaeth a ymdreiddiodd i fyd crefydd. Erbyn heddiw nid oes fawr neb yn amau'r ddamcaniaeth esblygiadol, a diddorol ydyw sylweddoli nad oes rheidrwydd ar ran yr esblygwyr biolegol i chwilio am fwy o dystiolaeth i'w cred gan fod y ddamcaniaeth ar dir cadarn iawn. Er hynny, rhaid cydnabod nad ydyw y rhan fwyaf o grefyddwyr a diwinyddion ein cyfnod yn cyhoeddi ar goedd fod hyn yn wir, nac ychwaith yn sylweddoli yr effaith andwyol ar ffydd a chred a ddaeth o ganlyniad.

Cyfeiriais yn barod at y berthynas rhwng ffydd a rheswm. Y mae llawer o'r farn nad oes lle o gwbl i ddadl resymegol ym myd crefydd, gan ei bod yn ei hanfod yn ymwneud â gwirioneddau tu draw i resymeg noeth a bod ffydd yn hanfodol i sylweddoli'r gwirioneddau hynny. Ond cofier hefyd fod y gallu i resymu wedi chwarae rhan dyngedfennol yn esblygiad yr hil ddynol. Daeth hyn â manteision i'r ddynoliaeth a barodd iddi oroesi llawer iawn o anawsterau yn y drefn esblygiadol. Yn sgil y priodoleddau hyn, daeth dyn yn araf i feddwl ac i ymresymu ynglŷn â'i fodolaeth a sylweddoli ei ymwybyddiaeth o rai gwirioneddau sydd wedi ei arwain tu draw i resymeg noeth. Pascal sy'n dweud 'Reason's last step is the recognition that there are infinite numbers of things beyond reason'. Cyrhaeddodd dyn ddimensiwn a roddodd y gallu iddo i ymddiried drwy ffydd. Fe ddaeth i feithrin yn ei ymwybyddiaeth y medrusrwydd a'r awydd i wneud hynny. Rhaid cydnabod y gellir derbyn yn rhesymol rai agweddau o'n crefydd o'u cymharu ag eraill sydd yn seiliedig ar ffydd. Ceir trafodaeth ar y gwahaniaethau hyn gan Hindmarsh (1968) wrth iddo gyfeirio at agweddau o fywyd y Gwaredwr. Yr oedd yr Iesu yn sychedu, yn blino, ac awydd bwyd arno – priodoleddau naturiol y gellir eu derbyn yn rhesymegol. Ond wrth i'r Iesu sôn ei fod yn Fab Duw a datgan fod y sawl a'i gwelodd ef wedi gweld y Tad, neu ei fod ef yn y Tad ar Tad ynddo yntau, rhaid cydnabod y gosodiadau hyn fel mynegiant o ymddiriedaeth drwy ffydd. Yr un gwirionedd sydd gan Miles (1998) yn ei gyfrol ddiweddaraf. Gwahaniaethir rhwng yr hyn a eilw yn wirioneddau safonol y gellir eu derbyn yn gwbl resymol fel bod dau a dau yn gwneud pedwar, a'r gwirioneddau hynny y mae'n rhaid wrth ffydd i'w derbyn, fel y rhai hynny sydd yn ymwneud â bywyd, marwolaeth a thynged dyn. Yn ôl Miles, y mae'r frwydr rhwng Theistiaeth ac Atheistiaeth yn bodoli oherwydd y methiant i wahaniaethu yn sylfaenol rhwng y ddau fath yma o wirioneddau. Yr ydym yn byw mewn oes sy'n rhoddi pwyslais mawr ar y rhesymegol, oes sy'n gwrthod popeth sydd yn ymddangos tu hwnt i reswm noeth. Ond er hynny i gyd erys ffydd yn rhan sylfaenol o'n crefydd draddodiadol. Dyma sydd wrth wraidd y cwpled o eiddo Syr T. H. Parry-Williams yn ei gerdd 'I'm Hynafiaid':

> Mi gefais nerth o fêr eich esgyrn chwi
> I goelio, dro, fod un ac un yn dri.

Yn yr oes sydd ohoni, y mae'n rhaid i un ac un wneud dau bob tro. Efallai fod hyn yn adlewyrchiad o fateroliaeth yr oes, ond y mae'r osgo ar meddylfryd gwyddonol yn sicr o fod yn gyfrifol i raddau pell.

Credaf hefyd fod rhai diwinyddion ac athronwyr crefydd ein cyfnod yn pwysleisio'r elfen resymegol o'n ffydd. Daw hyn i'r amlwg yn nghyfrol Swinburne (1996) wrth iddo ddadlau yn gryf o blaid derbyn mai'r gred ym modolaeth Duw ydyw'r ffordd sicraf a'r fwyaf rhesymegol i dystiolaethu am yr holl briodoleddau a ddaeth i'r amlwg yn ein cyfnod drwy ymchwil wyddonol. Theistiaeth, meddai Swinburne, sy'n rhoddi'r eglurhad mwyaf syml a chryno i ddeall holl ryfeddodau'r bydysawd. Y mae Ward (1996, 1998) yntau yn pwyso'n rhesymegol wrth fynegi bod y ffydd Gristnogol a'i holl draddodiadau mewn cytgord perffaith a chyraeddiadau gwyddonol y ddwy ganrif ddiwethaf hyn. Bodolaeth o Dduw, meddai Ward, ydyw y rhesymoleg orau i esbonio'r cyfan sy'n digwydd yn y Cosmos. Ei farn yn ei ddwy gyfrol ydyw y gall y trydydd mileniwm gyfannu'r meddwl gwyddonol a'r ffydd Gristnogol mewn ffordd gwbl newydd ac unigryw.

Am ganrifoedd priodolwyd yn ffyddiog i Dduw amryw o nodweddion traddodiadol ein crefydd a ystyriwyd tu draw i resymeg noeth. Yn eu plith y mae'r gred mai creadigaeth Duw ydyw'r bydysawd, fod dyn wedi ei greu ar ddelw'r Duwdod, fod Duw o hyd yn llywodraethu'r holl gread, a'i fod yn gweithio yn ei fyd a'i drefn yn rheoli'r cyfan. Nid oes amheuaeth fod amryw o'r nodweddion hyn yn anhepgor i laweroedd o grefyddwyr selog a diffuant i ddal eu gafael a chadw eu ffydd. Bellach, yr ydym yn y sefyllfa pan fo gofyn arnom i gredu drwy ffydd yr egwyddorion hynny sydd wedi eu profi drwy wyddor ac ymchwil yn amhosibl i'w derbyn. Y mae ffydd a chred wedyn yn cloffi, os nad yn diflannu'n llwyr.

Ar ddechrau'r trydydd mileniwm, angen pennaf dyn ydyw argyhoeddiad o weledigaeth hollol newydd. Rhaid i'r weledigaeth honno dderbyn a chynnwys canlyniadau gwyddonol, tra'n sylweddoli ar yr un pryd nad hynny ynddo ei hun yw'r ateb terfynol.

Ni all crefydd sydd yn honni daliadau sy'n groes i ddarganfyddiadau gwyddonol fiolegol ac sydd wedi eu profi a'u gwireddu, fyth apelio. Ond eto i gyd, nid gwyddor yw unig sail cred. Yn hytrach, rhaid i gred fodloni holl gyraeddiadau meddyliol dyn, ei ddarbwyllo'n rhesymegol a'i arwain hefyd i gyrraedd ei wynfyd.

Y Traethodydd, 2002

CYFEIRIADAU

Dawkins, Richard (1998), *Unweaving the Rainbow*. Penguin.

Griffith, W. P. (1999), 'Rhai sylwadau ar grefydd ac enwadaeth yng Ngwynedd, yn *'Ysbryd dealltwrus ac enaid anfarwol', Ysgrifau ar Hanes Crefydd yng Nghymru*. John Penry.

Hindmarsh, W. R. (1968), *Science and Faith*. Epworth.

Miles, T. R. (1998), *Speaking of God, Theism, Atheism and the Magnus Image*. Ebor.

Polkinghorne, John (1998), *Belief in God in an Age of Science*. Gwasg Prifysgol Yale.

Popper, Karl (1992), *In Search of a Better World*. Routtledge.

Swinburne, Richard (1996), Is there a God? Gwasg Prifysgol Rhydychen.

Ward, Keith (1996), *God, Chance and Necessity*, One World. Rhydychen.

Ward, Keith (1998), *God, Faith and the new millennium Christian Belief in an Age of Science*. One World.